U0133563

呂寶霖自傳

呂寶霖著

傳 記 叢 刊

文史哲出版社印行

國家圖書館出版品預行編目資料

呂寶霖自傳 / 呂寶霖著.-- 初版.-- 臺北市：
文史哲, 民 104.04
　頁；　公分
ISBN 978-986-314-254-6（平裝）

1.呂寶霖 2.臺灣傳記

783.3886　　　　　　　　　　104005966

呂寶霖自傳

著　　者：呂　　　寶　　　霖
出版者：文　史　哲　出　版　社
　　　　http://www.lapen.com.tw
　　　　e-mail：lapen@ms74.hinet.net
登記證字號：行政院新聞局版臺業字五三三七號
發行人：彭　　　正　　　雄
發行所：文　史　哲　出　版　社
印刷者：文　史　哲　出　版　社
　　　臺北市羅斯福路一段七十二巷四號
　　　郵政劃撥帳號：一六一八〇一七五
　　　電話 886-2-23511028・傳真 886-2-23965656

實價新臺幣二八〇元

中華民國一〇四年（2015）四月初版

自　序

　　我是 1931 年 3 月 1 日生於台南縣白河鎮（後來改為台南市白河區）的鄉下人，年紀漸大的我欲想一些東西留給下一代的子孫，並獻給鞭策鼓勵我的貴人，以及我最要感激感謝與感恩的人。我不敢說我是一位成功者，但是，我自從懂事以來就很努力與勤儉的人，希望上一代的故事讓下一代的人了解，我如何堅守本業已逾半世紀（1950 年起），以及白手成家的經過，讓我的故事留存下來，所以決定寫這本回憶錄與盼望。我的學養畢竟有限，未能充分表達我的意思，而且相信內容疏漏和錯誤在所難免，敬祈看這本書的人，多多賜教與雅正是禱。

　　　　　　　　2014 年 6 月 25 日　呂寶霖敬上

心訓

呂寶霖 編譯

一、世の中で一番楽しく立派な事は一生涯を貫く仕事を持つ事です
世上最快樂而高尚的事，就是擁有貫徹一生的工作（憑此訓，日本人的敬業精神建立了）

一、世の中で一番みじめな事は人間として教養のない事です
世上最悲慘的事，就是作為一個人而沒有教養。

一、世の中で一番さびしい事はする仕事のない事です
世上最寂寞的事，就是沒有可做的工作。

一、世の中で一番みにくい事は他人の生活をうらやむ事です
世上最醜陋的事，就是羨慕別人的生活。

一、世の中で一番尊い事は人の為に奉仕して決して恩にきせない事です
世上最尊貴的事，就是服務別人而不求回報。

一、世の中で一番美しい事はすべてのものに愛情をもつ事です
世上最美麗的事，就是對萬物抱有愛心。

一、世の中で一番悲しい事はうそをつく事です
世上最遺憾的事，就是說謊欺騙。

福沢諭吉

呂寶霖自傳

目　　次

創業的經過

── 雖然我的職業是微不足道的裁縫師

我為甚麼會走入服裝這條路作為終身的職業？並會裁會做男裝、女裝、旗袍的經過機緣。

①由學校踏入社會後過著鐘錶學徒生活：

自從 1945 年 8 月 15 日第二次世界大戰結束不久，離開學校後，當時的世局尚未安定，因此，我首先在故鄉白河鄉下當過沿街叫賣的小販，有時候沿街叫賣枝仔冰（冰棒），或糖菓、李仔糖（糖葫蘆）、蚵嗲粿炸、水菓等一段時間後，於 1947 年 9 月 7 日～1949 年 9 月 11 日在白河昭文堂（專營鐘錶、刻印、收音機、電器類等）浪費了我一生二年零四天的鐘錶學徒生活。因這家鐘錶店，在白河可以算是數一數二的鐘錶店，不希望有人跟他們競爭生意，因此所傳授的學徒中，沒有一人能學到出師。這家店舖有五位兄弟在共同經營。據說這家所有的技術是由老大（張顯庭跟家父是結拜同年會，全部是屬鼠的人）在日政時代，由中國大陸傳回來給下面的四位弟弟，老二（張錫麟）是擅長鐘錶與收音機，老三（張宗興）負責刻印，老四（張宗隆）幫忙鐘錶，老五（張

文雅）負責電器類買賣外，有空幫忙刻印的工作。老大、老三、老四及另一位妹妹（張淑美）是長老教會基督徒，性情較溫和，又因為老大第二次大戰後退居至白河木履寮山內，跟大陸廣東帶回來的太太經營山地，禮拜天到仙草埔的天主教堂傳道之工作。所以這家店埔完全由老二在發落一切。我每日固定早晨開店後，當時還沒有自來水，因此要挑井水至廚房使用，或到碾米廠挑粗糠回來到廚房作為燃料用，傍晚還要燒風呂桶的水給老闆們洗澡用，有時候還要到木履寮幫忙山中的工作，回來時還要擔柴走路回來。我學到滿二年時，僅能學到修理掛鐘與鬧鐘的部分而已。另外所得著的好處，就是 1956 年我與太太訂婚時，當時在台北市建美服裝號擔任裁剪師時，從隔壁的珍記鐘錶行購買訂婚用手錶，TITONI 梅花牌，當時算是高級自動手錶，一只要價 1,200 元，到現在已使用將近 60 年還掛在手腕上，如果是別人的話，這樣長久不知換了幾個手錶，我只有換幾條的錶帶而已。因為我懂得如何保養鐘錶的常識，與擁有如何珍惜使用的習慣。因為家父看我在昭文堂經過二年後，還是做雜差事而沒有學到甚麼技術，這樣待下去沒有甚麼前途可言。後來他老人家向結拜的同年老大提議讓我回來，因為昔時的學徒要師傅的同意，否則需經過 3 年 4 個月後才能以自由身離開店，我會進入昭文堂時也是家父跟他結拜的同年商量同意的。

②為何走入服裝這條路為終身職業：

所以我就離開這家店舖回到家裡，跟三弟二人幫忙家父的永安藥舖的中藥房之工作，約有 10 個月的時間，在這期

間，住在後壁鄉下茄苳的母舅公（林萬盛），當時交通不方便而走路來到我家，為繼母來我家時有帶一位養女原名吳嫌，來我家後改名為黃寶玉（算是我的二妹）提親要跟我結成夫妻，我在心裡不願意，因此為逃避這個婚姻我就藉口說對中藥沒有興趣，而於 1950 年 6 月 25 日到新營投靠家兄，希望家兄在新營能幫忙找到鐘錶店的工作，使我能繼續學習未完的鐘錶技術。經家兄的服裝朋友沈水木（當時住在新營市場內開服裝店）介紹至新營中山路靠近新營市場的坤潘鐘錶店之前日，這位朋友說：這家鐘錶店的老闆是福州人開的，在新營是最大間的鐘錶店，在他們那裏當學徒，很多較為嚴格的規定要遵守，所以一切要有耐心學習。我聽到之後就害怕而不敢去學習，不然現在的我可能不是服裝師而是鐘錶師。我現在想起來學習服裝的技藝至今沒有後悔過，因為在我的感覺服裝業也是一種很深的學問，也很適合我的個性與興趣，才有今日在服裝界的成就。為著將來的生活，「只要有任何一技在身，縱然沒有金錢、財產，在有生之年，都能據以餬口 ── 身についた芸があれば、金や財産がなくても、身についた芸は命のある限り、ついてまわり、そのお陰で食べていける」。「一百英里的旅途，總是從一步開始的 ── 百里の旅行も一歩より始まる ── The journey of 100 miles begins with one step」。因此不得已才選定跟家兄學習縫製西裝的技術。也是我一生中最大的轉振點，開始踏入爾後一生在服裝界工作的起始點。由於認真勤奮苦學，且經家兄毫無保留而悉心的教導。一般的學徒最快需經過 2 年半後，才能學到縫製西裝，但是我學習經過半年就已經會做西

裝。有一天家兄的朋友林連代來找家兄聊天時，看我在半年就會做西裝，於是建議我去他的店幫忙與深造。經家兄跟他約定要在一年內教導我所有服裝的技術，而且讓我正式出師。依據服裝業的行規，無論先學習男裝，或女裝或旗袍都是要 3 年 4 個月才能出師，再學習其他另外的女裝或旗袍或男裝，而且 3 年 4 個月出師後，才能學到裁剪製圖，因為怕學徒學到一半時就半途而廢（落跑）之故。經家兄的朋友林連代同意後，從此我在他開的連成西裝社當半桶師的工作而深造一年的時間。由於這家西裝社的老闆林連代平常嗜好釣魚，常常跟朋友一起到遠地去釣魚而不在店裏顧店。所以有一天我就要求他有空時，教我服裝裁剪製圖。所以那時以後，只要他不在店裏時，我便將客人的服裝裁剪好給店裏的縫製師或學徒們縫製。因此，我在這種環境下，學習到男裝縫製與裁剪的技術，現在我還保留當時所學習的裁剪製圖作為紀念。從家兄那裏算起，前後約有一年半的時間我就能裁能做男裝。出師後，在新營的西裝店大部分都知道我是人人稱讚的一位半桶師出身，知道我的縫製法不輸給其他的師傅們，所以不會排除我而雇用我，但因當時適逢服裝業的淡月，而在新營各西裝店打游擊（沒有固定雇主），且受經濟的衝擊，自覺在新營難有出頭天的機會，自信有一技在身，不怕填不飽肚子，而以一支剪刀走遍天下，終於 1952 年 9 月 13 日（壬辰年 7 月 25 日），隻身來到台北奮鬥，當時身上只有帶著 80 元新台幣（其中 40 元是向張清波 —— 刻印業與駱換宗 —— 服裝業二位親友借的）而已。而且當時要乘坐 11 個鐘頭的普通火車來到台北打拼。當時的火車票全票到萬華要 35

元，便當 5 元（不敢喝飲料），剩餘 40 元，實際上到台北時身上只有 40 元而已。想起離開故鄉時，曾有一句名言鼓勵我：「男子立志出鄉關，學若不成死不還，埋骨豈無噴墓地，人間到處有青山 ── 男子志を立てて鄉關を出ず、學もし成らずんば死すとも还らず。骨を埋むる豈唯墳墓の地のみならんや、人間到る處青山あり」。又有一位美國的教育家 William Smith Clark（1847～1931）說：「Boys, be ambitious! ── 少年よ大志を抱け ── 少年人應懷大志（年輕人要有野心）」。並想起一首離開故鄉的日文歌是這樣的：園の小百合撫子垣根の千草、今日離れを眺むる終りの日なり、思へば淚膝を濡す然らば故里然らば故里然らば故里故里然らば。中文的意思是：花園的小百合與撫子（婦女的名），籬笆的千草，凝視今日離開最後的日子，想著眼淚就濡溼膝上，再見吧！故鄉，再見吧！故鄉，再見吧！故鄉，故鄉再見吧！

③以一個半月的時間又學習到女裝的做法：

初到陌生的台北時，當時若不經人介紹的話，要找一處能溫飽的服裝店工作談何容易，因不知他是熊或是虎實在真困難，幸好暫時住在姊夫的工寮，當時姊夫是包建築工程，在萬華的和平西路二段植物園對面日政時代的塵芥會社（垃圾焚化爐 ── 現在已經拆除）南側的稻田中，蓋有臨時工寮給員工住宿，因此，暫時不必擔心住的問題，但是每天出去找工作時，往往中餐的一碗 1.5 元的陽春麵都捨不得買來吃，而且連 0.8 元的公車票也捨不得買而用走路回到工寮的。因此當時在萬華與城內（現在的中正區）的大小巷內都

很熟，當時來台北時身上僅帶 40 元的現金而已。後來經過一週後姊夫看我找不到工作而焦急，他就介紹我到他同鄉（福州人）的朋友家，在赤峰街 33 巷 11 號當時是日本宿舍（現在已經改建為大樓）開新松華號女裝店（老闆蕭芝鄉），這家店是專門做女裝，夜間由大兒子主持補習班招收女生教洋裁，因為我是男裝師，雖然我在新營林連代處曾為熟人做過幾件女裝，但是現在想起來當時所做的方法完全是男裝的方法，所以可以說我在這裏是再學習研究女裝的縫製法技巧，而且老闆看我是從下港（南部）來的憨直之鄉吧人，言明住宿與吃飯均為免費，做到農曆過年有 5 個月的工資共 700 元。因為當時隻身初到陌生的台北市開創人生是一件辛苦事，為了三餐的溫飽是一件不容易，所以我就答應留下來。大約在新松華號待半個月後，老闆問我會不會騎鐵馬？意思是說我會不會騎腳踏車？因為我在鄉下幼年時就會騎腳踏車，所以我就說：我會騎，原來翌日的 1952 年 10 月 3 日適逢農曆的 8 月 15 日中秋節，新松華號大小全家就騎腳踏車自赤峰街騎到木柵指南宮的山下，再登上石階至指南宮，我寫到這裏時，拿出台北市區的地圖來看，使我嚇一大跳，當時沿街路面還沒有舖好柏油路，又記不得走那一條路能到指南宮，加上當時的交通是較不方便，所以才騎腳踏車去指南宮，大家也玩得很開心很快樂。這就是當時未開發至現在交通方便的台北市民之生活習慣。初到這裏他們視我如半桶師，但是沒有其他學徒可以做最基本的工作，所以我就兼做學徒們所做的工作。雖然女裝跟男裝的做法不一樣，但是我經他們所交待的工作及方法不會使他們失望，而且成品工作做得還不錯。雖

然我初到這裏還沒有做到外套類的服裝，但是我一面做我該做的工作，一方面看其他師傅們所做的服裝或外套之方法，自己認為有自信也會做得很好。我做到一個半月時，家兄從新營寫信來要我回去徵兵的身家調查，利用這次回新營之便，去拜訪林連代的店，那天受林連代的招待時，問起我在台北工作之情形。我據實相告找工作後之情形，他聽後叫我回來在他的店服務，每個月要給我 300 元的工資。我聽後回去台北時，就利用這個機會辭去新松華號女裝店的工作。後來再找工作時，經過數天後，才在中山堂附近的桃源街上，有一間服裝店的師傅介紹我到台北縣南港鎮南港路 106 號（當時南港尚未畫入台北市管轄）新華號男裝店（老闆王新園），初入此店時言明為男裝的縫製師，但是經過數月後，我見到櫥窗裏有幾件未縫製完成的女外套，我就問店裏的同事說：這些女外套為甚麼排在這裏那麼久還未縫製？他們說：到現在還找不到女裝的裁縫師之故。雖然我曾在新松華號女裝店做過一個半月，但是我還不曾做過女外套，僅在旁邊看女裝師傅做而已。後來我向負責人說：如果女裝沒人做時，我來兼做女裝的裁縫師。負責人說：你的年紀輕輕也會做女裝？為甚麼不早說呢？負責人的意思，我的年紀輕輕會做男裝也會做女裝，開始時他不相信的，但是經我先做一件給他看，並讓客人來穿看看後，他才相信我也會做女裝。從此我在這家店兼做女裝的裁縫師，當時做一件西裝工資 85 元，但是要經過三天才能完成一件西裝，而女外套的工資是 30 元，當時我每天最少可以做一件，一個月將近有一千元的收入。較那些專門做男裝的裁縫師多，他們紛紛以不滿的表

情說，以後他們有機會亦要學做女裝。我在南港做到新曆過年休假時，因當時的公車班次不多，又捨不得花錢，而用走路到台北松山，找到同鄉住在鹽水的朋友，他叫做張福來，後來他在鹽水鎮中正路 82 號的自宅開大新西服專家，不久又發展而開大新製衣公司，舊年的 1 月 15 日因事回去新營，順便去鹽水訪問他時，據說他的襯衫成衣也有外銷到日本等地。我在松山饒河街跟他晤談後他介紹我到台北市寧夏路 91 巷 5 衖之 1 號（今改建為錦西街 85 號，靠近寧夏路口大同分局 —— 日政時代為台北市警察局北署之對面）方木新裝社（老闆蘇老枋）當男裝裁縫師，因為台北市比南港有較好的工資，而且較有前途，於是我就轉來方木新裝社。做到來台北後第一年的農曆過年，第一次穿著自製的西裝及新皮鞋返鄉時，心裏的喜悅不知如何表達。想起初來台北市身穿短袖的香港衫及前有破小洞的布鞋，手提二包用包袱巾包（一包衫、一包書）的行李，真有衣錦返鄉的感覺。

④學做旗袍是靜靜看別人做而用偷學的：

農曆過年後不久，這家店遷來城中區（今為中正區）武昌街 1 段 22 巷 15 號（城中市場內，房東賴李鑾），店號改為美元新裝社，因這家店初來這裡不久，顧客不多致使生意不好，因此不久遷往花蓮。所以我就換到斜對面的美美服裝社（老闆林朝元）工作，在美美服裝社服務期間，遇到 1953 年 6 月 25 日是我從事服裝業滿三週年的紀念日，我就去照相館拍照留念。同事們看到照片有題詩，其內容是寫「男人立志出鄉關，功若不成死不還，埋骨豈無墳墓地，人間到處有

青山，1953 年 6 月 25 日，洋裁經歷三週年，於台北留念」。因內文有寫洋裁經歷三週年就問其原因，我就說謊言：這是我出師後滿三週年紀念日，其實是我從事服裝業才滿三週年，因為我做女裝的工作自認不輸任何人，所以他們也不會懷疑，而且女裝的同事們很少知道我也會做男裝。這一年因為有很多外省人從中國大陸來台北市居住不久，使得當時非常流行著前後身片沒有打腰褶，僅在前身片打胸褶的旗袍。這種旗袍的縫製法，要靠熟練的燙拔後，在縫線的部位貼上牽條的技術而縫製。而且，一般畫在布上的服裝圖樣都是使用粉片（粉餅、粉土）畫，因旗袍料大部分都是較薄的布料或綢緞的較多，布料容易滑動，致使不容易畫得順畫得準，所以當時的旗袍師傅都使用「粉線」畫就不會有此現象。因此這些旗袍師傅跟著水漲船高而很吃香，因為僅有大陸來的旗袍師傅，及少數的福州人的師傅才會做這種旗袍而已。店裏有一位來自上海的旗袍師宋師傅，老闆為討好他而特別安排一張布床的工作台，給他個人單獨使用。因為大部分的旗袍師傅都很大牌很甕肚心眼多又孤佬，別人不敢使用到他的布床。我跟他打交道培養交情不錯後，我就找機會搬到他的布床去和他面對面一起工作。我在這家服裝店專門做女裝，他是做旗袍，我過去不層學過旗袍的做法，我只有默默看他如何裁剪旗袍與縫製法，而不敢向他討教，因為怕他翻臉不認人而碰壁。但是經過這段短短時間，在不知不覺中，我已經學會了做旗袍。因這年的農曆過年時，回去拜訪家兄的輝美西裝店時，適逢他的店來了一位酒家女要做旗袍，因為家兄不會做女裝與旗袍，所以不敢承接這項工作，我看到後就

叫大哥接下來讓我來做。我就向那位酒家女量身後，約她交件的時間，經我做好讓她穿穿看時，因為鄉下的旗袍師傅之做法，沒有如前述所說的燙拔與縫製法，所以她讚不絕口說；在南部沒有旗袍師傅會做這樣合身好看又好穿的旗袍，她說明天還要拿幾件來做，並且要介紹幾位同事來做旗袍。我說；我明天就要回台北了，以後如有機會再來為妳們服務，她聽完後很失望的樣子。從此，我深信自己不但會做男裝，也會做女裝與旗袍。

⑤擔任服裝裁剪師後，生活經濟才安定下來：

在美美店裏，有一段期間後，跟店裏的同事涂孝康（福州人）、白金蘭（台南市人）、黃小姐（鹿港人）等共四人合夥籌組，在美元新裝社店底開設勝美時裝社不久，在美美

當時我時僅 24 歲多就擔任延平北路一帶
最有名的建美裁剪師。

店裏有一位傅聰明女裝師，他做到翌年（1954年）9月，延平北路2段162號建美服裝號（老闆張依鏗，福州人）新開幕時轉去建美工作，於10月也介紹我去建美服裝號工作，因此，我將勝美的店務交給他們三位的同事去經營，然後去建美工作。我在建美做到翌年7月左右，因店裏的裁剪師被徵召當兵，而老闆對於登報找的裁剪師或經人介紹的裁剪師，來幾天的裁剪師都不滿意他們的裁剪技術。因老闆早知道我會裁剪，因當時我每天可以做三件的女外套，算是一位重要的裁縫師，所以老闆起初捨不得而不願叫我裁剪，後來不得已將我升為裁剪師。並言明擔任裁剪師不能以件數計算工資，月俸是住宿及伙食、夜間的加班點心均為免費外，農曆1〜8月間是服裝界的淡月之薪資每月1,200元，9〜12月間是旺月為2,400元，另外還有年終獎金，第一年做到農曆年底約有半年久的年終獎金給我8,000元。農曆過年休假回去新營碰到一位知己的朋友周溫泉，問我在台北近來情形時，我就告訴他最近的情形，他不相信我每月的薪資及年終獎金會有那麼多，他說他在新營紙廠服務10多年，每月的本俸僅200多元而已。後來我將年終獎金的支票與薪資袋給他看時，他才咋舌而相信。我從擔任裁剪師後，因有固定的收入，就將薪資1,200元參加合會（中小企銀的前身）舉辦的600元會仔二會，將其紅利為平常的零用錢，我是這樣勤儉累積至結婚所需一切的費用。

　　在這裏順便介紹訂做業的裁剪師跟成衣業的裁剪師完全不一樣的地方。成衣業的裁剪師不會做衣服沒有關係，僅懂得如何操作裁剪刀即可，因經打版師打版後，交給馬克師排

版後，按照馬克師所排出來的馬克圖照樣裁剪即可，沒有甚麼服裝的技術性與技術價值可言。訂做業的裁剪師（又稱剪手），俗稱師傅頭。訂做業的裁剪師最起碼要會做衣服，對顧客會量身，顧客所要求的服裝樣式（款式）都會製圖裁剪，經縫製師縫製完成後的衣服，穿在身上一定要合身、好看、好穿為主要條件。萬一穿在身上後出現毛病（缺點）時，要懂得如何修整處理。會做衣服的師傅，大部分多多少少都會製圖裁剪，但是訂做業的裁剪，不是任何人那麼容易勝任的。昔時的訂做業裁剪師大部分都是中年以後比較有經驗的人擔任裁剪師，僅我是例外，以 24、5 歲就擔任裁剪師，如果沒有兩把刷子是不能當訂做店的裁剪師的。

⑥服裝是一門高深的學問：

一般會做男裝的師傅或老闆，如有人問他們會不會做女裝或旗袍時，他們為了面子都會說：「會做」。但是，如果有客人要委託他們做女裝或旗袍時，他們都會藉故推東推西而不敢隨便承接工作，因為他們沒有十分的把握，又沒有自信會做得讓客人滿意。相反的，會做女裝或旗袍的師傅或老闆，也是一樣不敢隨便承接對方的服裝。服裝不是僅會踏針車就可以大聲說，任何服裝都會做。因為穿男裝與女裝或旗袍的對象是不同體型的人，男裝的對象是男人，女裝或旗袍的對象是女人，男人有男人的骨骼，筋肉之體格，女人有女人的骨骼、筋肉之體型。男人的體型之特徵與女人的體型比較時，會發現胸部的厚度，男人較厚，但女人是因其乳房而高。胸圍、腰圍、臀圍之差是女人的較多，男人的較少而成

直筒型。臀部在女人是皮下脂肪多而圓，但男人是寬於橫方向，肩寬是男人較寬而挺著，女人的肩膀圓而下垂。甚至童裝的體格也是不一樣，兒童的體型是依年齡的成長而逐漸變化而不同與大人。雖然我已經會做男裝、女裝、旗袍，但是，我於 1962 年 9 月申請設立麗新男女服裝補習班後，為了提高教學更趨於完善完美而開始研究童裝與成衣，才知道童裝與成衣，也是服裝類的另外一種技術，所以服裝如要大別其種類時，是可以分為男裝、女裝、旗袍（唐裝）、童裝、成衣等五大種類。因為服裝的種類不同，製圖法與裁剪法，或縫製法就不同。雖然有些道理與實務相同，但是深入研究後，自然會發現還是不同的地方很多。所以男裝師傅不能用男裝的方法製圖裁剪女裝的服裝，不然，會令人覺得這種女裝有些男裝的味道。或女裝師傅不能用女裝的方法製圖裁剪男裝的服裝，否則，也是會令人覺得這種男裝有些女裝的味道。一般的行規，如果要學習男裝、女裝、旗袍等各得學習 3 年4 個月，但是如果要全部學習這 3 種的話，是不用花 10 年的時間，雖然剛開始要學習那一種都得花 3 年 4 個月後，再學習其他類型的服裝，但是以我的經驗也是需要先學習男裝後，再學習其他的服裝比較容易且快，而且服裝的技術較好，如果先學習女裝或旗袍後再學習男裝的話，得花較多的時間與精神才能學習到一切所有服裝的種類。所以說服裝是一門高深的學問也不為過，是高級的行業，而不要少看服裝的行業，更不要看輕自己的行業是服裝業。

⑦誠於待人，能得善友：

我在 1955 年 8 月 16 日起（年僅 24 歲多）就擔任當時在延平北路二段（大稻埕）一帶算是一流的服裝店之裁剪師，在當時算是一位很年青而罕有的裁剪師，因為當時的裁剪師，都是中年以後較有經驗才能勝任的工作，所以當時不知羨煞了多少的業者。因此，不但是年青有為的裁剪師，而且是一位在一流服裝店的裁剪師，又還沒有結婚，因此很多未結婚之女性相互與我親近，休假日時常約我與她們去遠地或名勝遊玩。有一次休假獨自在公車停靠站等公車時，有一位不認識的人主動跟我打招呼，我也假裝認識而跟他打招呼，在言談中才知道他是別家服裝店的師傅，由此才知道我在同業界已經有些名氣，很多業者認識我，而我不認識他們，不但如此，還有業者想能進入建美服裝號為師傅而自豪的很多。例如建美裏面有一位師傅，當時他在老闆眼裏是不受重視的一位師傅，因為他的工作比較差，老闆是不會直接辭退他，只有用工作量減少或較難做的工作給他，使他自己知難而退。但是他為人和藹不會跟人計較且勤儉的人，但是有些福州師傅看不起他，並在後面批評他並看輕他就說：他的工作少而賺錢少，因此晚上加班時，大家會出去吃點心或叫一碗麵回來當宵夜，只有他僅在店裏喝幾口的開水而已。後來經我向他建議晚上加班後一定要出去走一走，這樣無論有吃點心或沒有吃宵夜是不會有人知道，以後就不會有人批評他，他說他會照我的意思做，並對我說，他雖然在建美沒有甚麼地位，但是休假出去時碰到熟人時他都說在建美服務，這樣在外面的朋友就不會看輕他。經過這件事情後，他對我

很尊重很尊敬,而且後來我於 1967 年 10 月 15 日第二次來台北建美服務後,經過一段期間後我自己開設補習班而離開建美時,他的頭腦還算不錯,不久他也開設補習班,但是有一次他的學生有問題要問他,他說明天會詳細解說給他們聽之後,他就跑來問我他的學生所問的問題,我就詳細告訴他如何處理這個問題,他就照樣回去向他的學生交待問題,因此至今我倆的友誼還保持得很好,他現在雖然住在南部,如果有來台北時一定會來寒舍聊天,或每一年的新年都會打電話來問安問好。

⑧結婚後開店失敗而搬回新營做服裝楚霸王：

我在建美服裝號擔任裁剪師至 1958 年 4 月 16 日（農曆戊戌年 2 月 28 日星期一,紀念家母的生日）結婚後,因傅聰明看我擔任裁剪師的待遇與人氣很不錯,也有意想在建美擔

我們終於合股在圓環邊開明輝服裝號。

任裁剪師，雖然我是沒有甚麼把柄讓他攻擊，但是他常常藉故找我的麻煩，後來我跟太太商量，認為他介紹我到建美工作有恩，我在建美也已經有 3、4 年之久，並且已經結婚而有些積蓄，也該有自己的事業，就利用這個機會而向老闆說，我想出去自己創業，所以將裁剪師的工作就做到 7 月底辭職，並推薦傅聰明為裁剪師。我們本來籌備一間以我們現在所累積的能力之小小服裝店，夫妻倆能溫飽過著安定的生活而慢慢擴大即可。但是當我們在籌備開店的消息傳開時，被太太的姊夫住在下營之駱換宗知道後，他欲跟我們合股而向岳父轉告給我們的意思，起初我說合股之事，大部分都會發生問題而拒絕。但經岳父說：合股後有雙方的資本，而可以開一間比較像樣的服裝店，而且，他答應雙方出同額資本，在合股後我有六分的實權，他自己有四分的權力即可，一切由我發落，這樣應該不會有甚麼問題發生。如果再不答應恐被誤會，我們怕他跟著我們賺錢。我們終於 1958 年 8 月 15 日在圓環邊天水路 3～5 號（房東周蔭庭）租店合股開明輝服裝社，而於 8 月 26 日正式開幕。但是合股不到半年後，我們雙方意見與理念不合而拆股後，經岳父的建議，叫我們將現有的設備與台北的服裝技術水準，搬回新營開服裝店，這樣經費與開銷較小。所以我與新營至親朋友周溫泉連絡，叫他幫忙找店之事，終於 1959 年 1 月 20 日我們就搬回新營市文化街 4 號（房東王明哲）開麗新時裝社，於 1959 年 2 月 17 日正式開幕後，男女服裝的生意很好，尤其是旗袍的生意特別好，因為新營的福州人開的旗袍店之做法沒有燙拔而較為落伍。又因為現在住的店較為窄小而不夠用，經過 3 年多後

剛好對面的文化街 11-1 號（房東沈蔡秀英）有一間一樓及二樓的空店。我們於 1962 年 6 月 20 日退租現在的住址，翌日就搬到對面繼續經營服裝店。

⑨為找好的師傅而焦煩，不如開設補習班：

在新營經營服裝店 3 年多，因生意好，工作多，雖然店裡已有七、八位的學徒，真正能幫上忙的並不多，想向外招聘縫製師（師傅），卻找不到合適的縫製人員，因在新營要聘請一位夠水準的縫製人員並不容易，會做的人都向大都市的台南市或台北市去了。如果沒有人手幫忙，僅靠夫妻倆的雙手縫製的成品有限。如果聘請的縫製師所做的工作，達不到我們的要求而要他們改進，能接受改進的還可以採用，但是大部分的人為了面子都不肯接受指正，以為他們自己的技術已經達到水準，但是他們所縫製的成品，在我們的眼光來看還是不行。我們也曾討論過是否我們的要求過於嚴格，因此僱用不到師傅，是否要睜一隻眼、閉一隻眼，只要顧客的衣服能夠順利完成交件即可？但是我們認為這樣對顧客不公平，對我們的信用又不好，而且有欺騙顧客的感覺，使我們覺得良心過意不去。一方面因有不少婦女顧客，看我們所做的服裝技術不錯，就建議我們另外開設縫紉補習班，傳授婦女們有一技之長之外，還可以多一項的收入。因當時鄉下不少女性在婚前，需學些縫製服裝的技能，婚後才能幫忙家庭一點彌補收入財源的技能，又我們在對面文化街 4 號時，於 1961 年 6 月～10 月，曾受聘於新營紙廠附近的台灣糖業公司農業工程處勞工教育的縫紉班老師，受到很好的批評之教學經驗等。因此，我們認為開設補習班後，如果補習班的生意

不錯的話，我們可以慢慢將服裝店的生意放棄，全心經營補
習班未然不可，這樣不會因找不到理想的縫製師而傷腦筋。
後來我以日政時代的高等科（等於初中）之學歷，及相關服
裝學經歷，經向台南縣政府教育局申請增設「麗新縫紉車綉
補習班」後，於 1962 年 9 月核准立案（南縣短補立字第 37
號）而正式開始向外招生第一屆的縫紉班學生。為了補習班
的教學更完美更完善，曾一度考慮到日本文化服裝學院申請
入學裁剪科研習與深造，時間最少要半年之久，但因當時店
裏生意好學生又多，一時人手不足，不能抽空去日本研習，
又，當時國民政府採取戒嚴施政之政策，禁止百姓隨便出國，
後來選擇日本文化服裝學院的函授教學，而申請函授課程，
入學手續過程還要繳交健康診斷書，最後出身學校與成績證
明書及畢業證書，向該學院教務部提出審查後才能批準入
學。經過書信往來後，才知道函授課程往來之郵資問題，在
學院規定不能與外國的學生直接通信，需在日本有一位代替
轉達的監護人，幸好當時台北有一位朋友（馮阿土）之介紹，
認識住在日本的栃木縣小山市喜沢 1174 之伊沢すい樣，願意
作為我的代替轉達之監護人。即學院要寄給我的函授課程資
料，比新聞紙類更便宜的新聞紙第三類（在日本國內教學專
用）郵資直接寄給伊沢樣後，由伊沢樣以航空信件寄給我，
然後我再以航空信件寄給伊沢樣，伊沢樣接到後再以第三類
郵資寄給學院。這樣不但會影響結業的期限，又會帶給伊沢
樣龐大的郵資費用，我本來不敢同意，但是伊沢樣願意幫助
我的服裝學業。後來我第二次去台北建美任裁剪師時，遇到
一位住在南投的黃勒小姐，才知道我在當時是在台僅有的二

位日本文化服裝學院函授班的結業生其中的一位，所以要成為文化服裝學院的學生是不容易的。我於 1962 年 5 月正式批准入學上課至 1964 年 3 月畢業於該學院的服裝縫製科函授課程。在本班學習的學生住在新營市之外，還有來自以新營為中心，半徑約有 25～30KM 的鄰近鄉鎮，如來自東山鄉、白河鎮、後壁鄉、鹽水鎮、柳營鄉、六甲鄉、下營鄉、麻豆鎮、學甲鎮、官田鄉、北門鄉、佳里鎮等之外，還有嘉義縣的義竹鄉、布袋鎮等聞名而來學習，特別是住在太太的故鄉之下營鄉，以及鄰近的麻豆鎮與六甲鄉的學生較多。從外地來的她們每天從早上透早就乘騎腳踏車來學習。因此在鄉下的補習班都是白天（上午與下午）才有學生來學習，晚上的學生就很少。後來，經下營的學生建議，於 1964 年將補習班遷移至下營北極殿玄天上帝廟後的下營鄉仁里村 145 號（房東沈大成）繼續經營補習班。當時太太在娘家之下營鄉營前村 853 號（今編制為中山路 2 段 43 號）另外開設「麗新男女高級時裝社與麗新百貨商行」。這樣白天我負責補習班教學的工作，太太整日負責時裝社與百貨行的生意，時裝社所承接的生意我夫妻倆則是利用晚間或休假日才共同工作。

一九六三年五月四日女兒東京明治紀念館結婚時，左起兒子、女兒、女婿。

左圖：一九六二年十一月左起伊沢すい樣與
　　　馮阿土夫人馮麗雲女士於日光東照
　　　宮觀光時。
下圖：左起媳婦、伊沢すい樣、女兒、兒子。

文 化 服 装 学 院
BUNKA FUKUSO GAKUIN
(The Bunka School of Fashion)
22,3-Chome, Yoyogi, Shibuya-Ku, Tokyo, Japan

発行日
Date Issued　February 12, 1965

許可番号
Issue No.　22

入 学 許 可 証

ADMISSION CERTIFICATE

1. 氏　　名
   Name in Full　　呂　宝　窯

2. 生 年 月 日
   Date of Birth　　1931年 3 月 1 日

3. 出 生 地
   Place of Birth　　中華民国台湾省台南県

4. 現 住 所
   Home Address　　中華民国台湾省台南県新宮鎮文化街 1 1 ー 1

　　上記の者を、先に提出された入学志願の書類によって審査した結果、本学院 裁　断　科（ 基礎、上級一ケ年課程 、昭和40年 4 月11日始業）に、正規学生として入学を許可いたします。

Dear Sirs:

　　This is to certify that the above mentioned is admitted to Bunka Fukuso Gakuin (The Bunka School of Fashion) on the basis of the examination of her his documents applying for admission, and is registered as a regular student in the 　Senior Cutting Course　 of the School (the basic and advanced one-year curriculum), starting on 　april 12　 1965.

文 化 服 装 学 院
BUNKA FUKUSO GAKUIN

学院長　原　田

MRS. SHIGE HARADA
PRESIDENT
Shige Harada

⑩建美老闆的再聘第二次來台北受到重用：

在 1967 年 7 月間，台北建美服裝號老闆派一位女裝師張芳子小姐來下營住在本班學習裁剪的工作。據她說：她在台北曾跟傅聰明學過裁剪，再來鄉下跟我學習裁剪的工作比較後，才知道我離開台北建美服裝號那麼多年，在裁剪技術方面沒有退步，反而進步得很多，並且裁剪製圖的方法，不用紙型可以直接畫在布上裁剪，又，技術與實務特別好。後來她吐露來本班學習裁剪的最大目的，自我夫妻倆離開台北建美服裝號後，現在的裁剪師傅聰明每年旺月到的時候就向老闆要求提高薪資問題，所以老闆以每一年服裝界旺月之前的農曆 7 月就來南部找我，表面上他是來南部玩玩散散心，順便來探視我夫妻倆，回去後就放風聲說；呂桑（我）有意再來本店服務，但是老闆來南部回去後不久，傅聰明就接著從北部到南部找我，並探視我的近況，目的看我在南部的服裝店生意如何？猜想我會不會再去台北，直至我們遷移來下營後，我負責補習班，太太負責時裝社與百貨店，兩方面的生意都很忙，而且生活安定不成問題，可能絕對不會再去台北，聽說，傅聰明今年旺月時可能會離開建美，不知何因他的目的要建美服裝店找不到適當的剪手，而影響店裏的生意並倒店，因此老闆暗中派她來學習裁剪，以備萬一真的發生傅聰明離開建美時，可以暫時應付裁剪方面的工作，使我想起過去每一年建美老闆及傅聰明都會來南部遊玩的情形，當時我認為他們是為了友情才來南部遊玩，想不到還有這樣的插曲與把戲。而且到了 10 月初，老闆真的又專程來下營找我，向我訴苦傅聰明的為人，他說：無論我（老闆）如何挽留他，

甚至先開 2 萬元的支票給他說，因旺月已到請他最少要做到農曆過年後再走，我先開 2 萬元的支票給你做為今年的年終獎金以希望他再幫忙我，如果一定要走，我想以你在我的店裏服務這麼多年，當做是退休金給你，希望你好好考慮，但是傅聰明不為所動與勸誘，將 2 萬元的支票不客氣的收起來後就說一定要離開建美。因為我沒有辦法找到適當合適的裁剪師，所以跑來下營找你，希望你一定要答應我要去台北建美幫我的忙，如果今天你不答應，我就不回去台北，一直等到你答應為止，我知道你現在在下營所經營的事業很順利，很不錯，到了農曆過年僅剩下 3 個多月而已，你就當作被徵召去當了 3 個月的兵，你只幫我至農曆過年就可以，到過年我發 5 萬元的薪資給你，算是你幫我忙的報酬，所以請你跟太太商量後再回答我。我就將這些情形告訴太太及在旁的岳父知情，我與太太是沒有甚麼辦法，去答應建美老闆而去台北的事。但，經岳父叫我答應建美老闆去台北，他說：短短 3 個多月，約 100 天就可以賺 5 萬元（1967 年代）是不容易的事，而且可以幫忙人家解決難關也是一件好事。最好的辦法就是將現在的百貨店與時裝社暫時關掉，停止營業 3 個多月，裏面的貨等你回來再開店出售就可以，至於補習班暫時由秀月（我的太太）去教學就可以。我將答應去台北的事告訴老闆時，他始面露笑容後，約定我於 10 月 15 日去台北上班。就這樣我離開台北 8 年多後，第二次再去台北在建美服裝號服務至農曆過年。我去台北不久，看到傅聰明在建美服裝號隔壁，開一間優雅服裝號，目的要跟建美競爭生意，傅聰明自己認為建美的生意好，完全是靠他的裁剪技術好，現

在建美沒有他，而且他在隔壁另外開一間後，他很有自信的誇口講大話說：要在 3 個月內，將建美所有的顧客，吸收到他的店去，使建美不能繼續存在，在台北市所有的服裝界剪手他都不怕，他只怕我一人，但是沒有想到我會再來建美。後來傅聰明在建美隔壁開不到半年就關門大吉，聽說虧損了很多錢。從此以後，傅聰明看到我時，好像遇到仇人一樣，表面上雖然互相會打招呼，但是心裏頭很怨恨我來幫忙建美的怨恨心很深。我來台北之前，建美在旺月之前忽然間失去僱用 7、8 年久的裁剪師傅聰明後，心如火燒之急，不知如何是好，雖然當時在城內與延平北路很出名的服裝名店，如美隆、華納、天娥等的裁剪師來應徵，建美老闆都不放心他們的裁剪技術能勝過傅聰明，因老闆知道傅聰明最怕我再來台北建美，但是我離開台北已有 8 年多之久，不知我的裁剪技術是否還適合現在台北的流行，所以花錢先叫張芳子來下營跟我學習裁剪，因張芳子曾跟傅聰明學過裁剪，再來跟我學習裁剪後比較，才知道我的技術沒有退步反而進步，因為我有開店又開補習班，日與繼夜、無時無刻，專心再研究服裝技術，而獨創特殊的裁剪法與眾不同。例如女裝如有剪接（剪開）的款式，均可不用原型或紙型放開變化一樣，能發揮事半功倍之效果。而且所畫的線條柔軟，穿起來合身好穿又好看。所以 1967 年 10 月初專程來下營聘請我再來台北服務的機會，這樣就不怕傅聰明搞鬼。

到了農曆過年要回家時，老闆又跟我說：你在下營的事業，雖然經營得很不錯，而且我們曾約定合作至農曆過年，但是以你的裁剪技術與才華，在下營好像英雄無用武之地，

而埋沒在鄉下很可惜，希望你回去跟太太商量，是否再來台北求發展，我很誠懇的要求你再來台北發展為我服務，如果你想這次再來的話，我正式再聘請你為本店的裁剪師。服裝界一年有 8 個月的淡月發 5 萬元，旺月 4 個月也是 5 萬元，一年共發 10 萬元的薪資給你（據說當時在台北裁剪師的薪資行情，淡月是每月 4 仟元，旺月是 8 仟元左右）。而且，淡月的時候，我的縫製工場早上 9 點半未開工之前，免租金免水電費無條件提供借給你招生教學裁剪使用。招生的學費全部歸給你自己的，而且南部的補習班之教學有一段落結束後，我會幫你找地點將補習班遷來台北，並替你登報紙廣告繼續招生經營，不但如此，你的年紀會漸漸大（當時我已 36 歲多，我以前在建美擔任裁剪師時，僅 24 歲多而已），體力也會漸漸衰退，裁剪工作可能比較吃力，你可以栽培一位你的裁剪助手，幫你裁剪簡單的服裝，而助手的薪資也是由我負責付給他，無論你有裁剪或沒有裁剪，你僅要掛名在本店為裁剪師的薪資照給。還有一件最重要的事就是你如果不向我提出辭職的話，我絕對不會解雇（辭掉）你，而且薪資照給至你向我辭職為止。我聽後不敢隨時答應他的要求，回去跟太太與岳父商量後，岳父贊成我再去台北求發展，所以去台北之前，就將百貨店與時裝社的貨物處理掉後，於元宵過後我就再去台北為建美服務。

⑪第一次有自己的房子後，並得麟兒：

　　我在建美服務期間，下營的大小事情，大部分都是岳父替我發落一切，因為本來我們沒有計畫永遠住在台北，所以

於 1968 年 6 月 29 日在下營鄉營前村 972 之 4 號（今編制為
台南市下營區營前里文化街 108、110、112 號）以 18,720 元
買到 100 坪的 2/3，即 66.66 坪的土地後，自己買建築材料，
並委託太太的堂兄陳水穎傭工建築，因岳父對建築有一點經
驗與認識，而由岳父代為監工，雖然是三樓的地基，據岳父
向我們說將來可以蓋到四樓沒有問題，而且天花板不會漏
水，因為資金不足，所以先蓋一樓的部分，於 1969 年 3 月完
工，共花了約 20 萬元，於 4 月 1 日將補習班遷入居住後，我
們已經有三位女兒，就決定不要再生孩子的念頭，因此經過
六年左右沒有計畫再生孩子，但是岳父向我們說：依古人說，
自己有新厝後一定會生一位男兒，因此，太太說：如果有三
人說會生男兒的話，我們就要再試試看，其中一位是新營的
周溫泉住在海口方面的朋友說我們搬入新厝後，不久會生一
位男兒，又一位是當時太太常常在新厝的附近之牙科診所治
療牙齒時，牙科醫生說，不久你們要搬來跟我們做厝邊很好，
因為我們這裏附近的婦人都是生男兒的較多，將來你們搬來
後一定也會生一位男兒，所以我們就計畫再生孩子，果然於
1970 年 1 月 2 日（農曆己酉年 12 月 14 日）次子建勳出世，
當時我在建美服務最忙碌之旺月，且路途遙遠，致使不能隨
身在側享受著得麟兒的喜樂，後來我們在 1974 年 3 月 4 日又
以 12,127 元買下北鄰隔壁的土地 33.33 坪，這樣我們在下營
的建築用地共有 100 坪。並將這 33.33 坪上面以鐵皮蓋上平
樓，這樣我們在下營有 100 坪的一樓平厝。

　　1968 年 2 月（農曆正月）元宵後我再去台北建美服裝號
擔任裁剪師後，我宣佈在 3 月初，將在每天早晨 7:30～9:30

首次開始兼任教裁剪的工作，當時店裏的師傅們及學徒大部分都報名學習與小數聞名而來的業者也都來報名參加。第一期約有 20 名左右，當時的學費每位僅收 400 元（雜費另外），第一期於 1968 年 4 月 30 日教學結束，並拍團體照留念。其中半數以上是以前曾跟傅聰明學習過裁剪的人，大部分都抱持著試探而來報名。為甚麼建美老闆不用台北的裁剪師，而願意以高薪資與優厚的條件，聘請離開台北有 8 年多的南部之人來擔任裁剪師。後來，我從側面得知，我所教的方式與技術，確實不輸給傅聰明。難怪傅聰明會怕我再來台北。因此他們學習後滿意，所以他們在外無形中免費替我宣傳廣告後，大台北地區之外，遠從桃園縣與基隆市來報名的也有，他們要從天未亮就要乘坐火車或公路車來上課。第二期開始店裏的場所不夠使用而留到第三期。這樣一邊裁剪衣服給店裏的師傅們與學徒們做，一邊教學裁剪的學生，一邊還要物色一位助手幫忙裁剪的工作。當時適逢我的外甥游建南從軍中退伍回來，他在 10 多年前從國中畢業後，我在建美服裝號初任裁剪師時，引進他來建美服裝號當學徒。而且我在新營開店與經營補習班時，也曾來新營跟我學習過裁剪，這次在台北第一期的招生中，他也再參加（當然過去與現在他都是免學費），他對女裝縫製與裁剪方面，可以說有相當的基礎。而且他是我的外甥，可以說是當助手的不二人選。因此我就決定要栽培他擔任我的裁剪助手。我將這意思告訴老闆時，他也樂觀其成而答應。自從物色助手之後，建美的服裝除我與助手裁剪之外，還有一位日前去下營跟我學習裁剪的張芳子，她後來嫁給老闆娘（鄭君子）的弟弟（鄭印章）為妻。

這樣過了一段時間，我認為需要再充實自己對服裝的認識與瞭解，我又向日本文化服裝學院申請服裝設計素描科函授課程，終於 1968 年 5 月批准入學，學習到 1969 年 7 月畢業。從此以後一面裁剪店裏的服裝，一面教學裁剪的學生，一面為了提高服裝技術水準，而夜以繼日的研究更理想的裁剪技術。因有這樣研究服裝的技術之精神，又當時在延平北路（日政時代為大稻埕太平町）最出名的建美服裝號擔任裁剪師，並兼教授裁剪學生，因而受到很多業者很好的評價與肯定，日後能站在服裝界成為服裝知識文化界的精神領袖之期會。

⑫補習班遷來台北後，不久又有自己的房子：

　　這樣我在台北有固定的生活後，想將家眷遷來台北居住，等到下營太太主持的補習班，最後一班教學結束後，經建美老闆的幫忙，我到建美附近的延平北路 2 段 124 號 2F（店東徐長利剪刀店），為暫時的住所。並在這裏申請設立補習班，經向台北市政府教育局申請，終於 1970 年 9 月核准立案（北市補班證字第 633 號），從此在台北市向外正式招生。過去一般（全國）縫紉補習班所招生的教學方式，如我在南部鄉下教學一樣，是一邊製圖一邊教學縫製服裝，但是，學習之後，對於裁剪衣服尚沒有信心。因此還要向人討教或找有關服裝書籍來研究。自從我申請補習班後，首次以專門教學裁剪為主要目的。每期要招生之前，建美老闆都會替我登報紙招生的廣告，因此從全國各地慕名而來報名學習的學生很多。學習完的學生都稱讚本班的裁剪技術，回去後都會替我免費宣傳。在這段期間，我的外甥助手，常常向我訴苦

他的薪資不夠用，其實不是不夠用，他的薪資，以助手的程度來說，最少有我的一半，而且，還有一位女助手（張芳子）都不會嫌她的薪資不夠用。因為他看我補習班的生意好，收入又多，而且我沒有裁剪服裝，我照常還可以領建美的薪資，所以產生不滿足的心態。因為我念在他是我的外甥，不然我大可不理他，或者另外栽培別人做助手，看他耐我何？因為如果我沒有提出辭職的話，老闆是不會隨便開除我，但是，我不想這樣做，我就向老闆說，我現在在台北已經有正式補習班，有自己的事業，有固定的收入與安定的生活，感謝你過去的愛護與栽培，因此我不願使老闆為我多一項薪資之開銷，我願意向老闆提出辭職，唯一要求老闆將我的薪資撥一部分給游建南（我的外甥），如果碰到較難裁剪的服裝問題，或旺月欠人手時，我絕無第二句話一定會很樂意回來幫忙。因老闆很信任我，而答應我的要求。大約經過一年後，我們已經儲蓄現金 40 萬元左右，在台北想擁有自己的房子，就四處去找房子，首先找到靠近台北大橋的迪化街 2 段頭之新建房子，其四樓大約要賣 40 萬元，剛好符合我們的能力。我們將此事跟建美老闆商量後，他去看後說：這裏的發展性很低，最好再找別的地方看看，我們就再找到現在居住的重慶北路 2 段 235-1 號。當時整棟四層樓要賣 240 多萬元；我們當時沒有那麼多錢，他們又不分開出售，後來答應最少要買 3F 與 4F 才要出售，當時 3F 與 4F 就要 93 萬元連裝璜可能會超過 100 萬元。經老闆來看過後說：這裏門口剛好有公車停靠站牌（重慶北路改公車專用道後，公車停靠站才改在民權西路口），對將來比較有發展性，並且開補習班後，對學生要

來報名學習都很方便，因此這裏比較理想。但是我們沒有那麼多錢，而且當時如果要向銀行借貸，不比現在那麼容易借得到，當時的銀行很現實，要靠相當的關係。後來岳父問我們，如果他在下營叫我太太的大哥（陳天輝，因他當時在下營農會有相當的信用問題）去下營農會借60萬元，如果在2年內能還得完，他就回去下營借來湊用。我們很有自信的回答，我們開補習班一年後就累積40萬元，2年內要還60萬元應該是沒有問題。就這樣岳父回去請太太的大哥去農會借貸60萬元。後來我們在1971年10月26日拿1萬元為訂金，約定10月30日再拿62萬元，於11月20日一切手續辦完後再付30萬元，就這樣決定買下現在的住所。將3F一半為家族住宿，一半為縫紉班教學之用。4F全部為教學裁剪之教室，並且將一半增建閣樓作為遠道而來的學生寄宿之用。教學裁剪之教室，同時可以容納100名學生分二班上課，而且分為早班與晚班共四班，每學期是八個星期，但是每四個星期開早

孜孜不倦的麗新縫紉技術補習班的同學，未來服裝界的棟樑。

聚精會神聽班主任呂寶霖老師，親自詳細講解直接裁剪製
圖，與教務主任陳秀月老師在旁協助指導之情形。

班與晚班各一班每一班各 50 名,經過四個星期後再開早班與晚班各一班每一班各 50 名,因此,每日有 200 名的學生在本班上課。當時學生實在太多,趕不上報名上課的學生,就要等到四個星期後才能入學上課。如太太形容開班前幾天晚上,將報名費的抽屜打開時,裏面都是滿滿的鈔票,僅要算其數量時,就得花很久的時間才能算完,因此,從下營借來的 60 萬元不到半年就全部還完,其中還有生活費,如果知道生意有這麼好的話,當時將整棟房屋全部買下來就好,現在後悔已經是來不及了。不過我們於 1980 年 11 月 15 日花了 950,300 又買下台北市火車站東鄰之忠孝西路一段 41 號 3F 之 4(約 27 坪左右)之商業大樓(跟天成大飯店同棟),我們本來計劃將補習班遷來這裏。但是當時不久台北市火車站計劃向東移動 100 公尺並地下化而將附近的大樓全部拆掉,幸好拆到我們的隔壁而已,所以當時在這裏做補習班影響交通不方便而出租做辦公大樓。於 1987 年 10 月三女在這裏開設「阿桂舞蹈補習班」,但是於 1988 年 7 月 25 日的時候,為了替還兄弟們之債務而賣掉 4,050,000 元還不夠,但是因此失去了兄弟情而不常往來之痛心事。

⑬做夢也想不到會被提拔的至親扯後腿:

好景不常,當時我的外甥游建南也向老闆表明在淡月時也要兼教學裁剪,因此,老闆尊重我而叫我去他的店裏商量,因我們未遷來重慶北路之前,我們還在延平北路時,當時我們認為延平北路是租借為補習班,不知何時會遷移,學生學完回去假若要介紹新學生來時,會找不到「麗新班」,因此,

我們的所有教學用品包括洋裁薄、製圖用的△尺、角尺、彎尺等所印的住址與電話，都是以建美的住址與電話。所以新學生要來本班時會先到建美去問。因游建南自己說：如果從店面前來要報名的學生歸給我的二舅的，從後門我自己去招生的屬於我自己的。因為當時我信任外甥他的說法，這樣不會影響我的招生來源，我就欣然答應他也可以教學裁剪，而且剛開始的教學用品我可以提供給他使用。但是答應後，他並沒有遵守他的諾言與約束。暗中將來店面報名的學生，用計程車載去他的太原路教學之處，不但這樣，我登報的內容是建美服裝公司「協辦」，由班主任呂寶霖以直接裁布法親授男裝女裝「何時開課」，他登報的內容是建美服裝公司「委辦」，由「現任建美裁剪師」游建南親自以直接裁布法親授保證學會，「開課日期都比我的提早一星期」，並在後面多二行「建美公司徵男女學徒各一名」，我看不慣他的登報內容後，我在登報廣告時，後面附登「現任建美裁剪師游建南即為本班畢業學生之一，今建美公司再委託本班物色裁剪師一名」。自從我這樣登報後，游建南就馬上跳起來，去告訴他的父親（我初來台北時介紹我去赤峰街的新松華號之姊夫），他的父親就告到我的父親（當時家父還健在）那裏，家父當時很生氣的說：親戚間為了生意不要這樣廝殺。當時我就拿報紙給家父看時，他才知道這是他的外孫的錯，不是我的錯。家父就帶那一張報紙拿給游建南的父親看，他的父親看後如啞吧吃黃連無話可說。如果我嫉妒他開補習班，當初在建美老闆店裏商量時，我就會反對或不贊成，因為任何事業任何人都有權利都可以做，但是必須腳踏實地、光明正

大靠自己雙手去打拼經營才對。我自己辛辛苦苦播種耕耘而要大收成時，他從後面來斬稻仔尾（拉後腿），「在最後緊要關頭搗蛋，辜負了恩人 ── 引け際に砂をかける樣な迷惑をかけ、世話になつた人を裏切る」，實在太不應該，如果我繼續登那一則的廣告，可能他的補習班受到很大的打擊而經營不下去或面臨關閉的命運。他為了自己的利益而忘記我是教他的服裝師傅，並提拔他為建美的裁剪助手而升為裁剪師，又是他的母舅（長蟲），俗語說：天上有天公，地下是母舅公，幸好，我的事業基礎還不錯，他這樣來對待我，當時可能僅影響一部分的生意，不然我的事業不知要興到甚麼時候。而且我的不動產不僅是下營 100 坪平房、台北重慶北路 3、4 樓共 60 坪與台北火車站東鄰之忠孝西路 27 坪的三處而已。為了這件事情發生後，建美店裏的師傅們都替我抱不平的說：游建南這樣做簡直是忘恩負義，而且是恩將仇報（恩を仇で返す）的行為，也是一種傷天害理的事。我是他的師傅，又是他的母舅還是提拔他的人。後來不知經過幾年後，家父拿一疊十多冊他當中醫師時的筆記簿，叫我以後有機會可以研究中醫學理，裏面其中一冊的封面裏有貼二則以前我拿給他看的報紙之廣告記事剪貼，至今我還保留這則記事，作為我現在所言不虛的依據。

　　經過這件事後，讓我體會到人生為著錢財，不管對方何許人，會不會傷害到別人，眼前只有利益而互相攻擊、互相殘殺，太不值得了。回想我自從學校踏出到社會至今，無論做師傅或裁剪師，不曾與人計較工資或報酬多少的問題，或是後來擔任學校的服裝科教師，或各服裝團體之工（公）

會聘請我去服裝技術演講時的鐘點費，都是人家自動給我多少，我就接受多少。因為自信能力到甚麼程度，人家就會給你多少。有一次我這樣想這樣做，可能是我的思想與行為落伍了，不合時代了，現代的人比較現實。最近，苦幹出頭的說法，據說已經不流行了，年青人已經不接受，只要認真工作，地位便會由小組長而股長，股長而科長的升高……那種老掉牙的埋頭苦幹出人頭地的說法了。但是，我覺得人生的成就，不是期待從天掉下來，是完全要靠自己的努力打拼得來的。我不但會有這種想法，也使我常常想起家父在世時曾說過：我為人執壺濟世，自營永安藥舖時，如果來客自拿藥單來拆藥時，店裏如果缺欠其中的一味時，要向來客坦白說本店現在沒有其中的一味，如果可以使用代替藥味時，其他的可以照藥單辦理，不敢自作主張使用代替藥味，因使用代替藥味喝了沒有問題還可以，如果喝了後沒有效果會誤了人家的病情，所以寧願沒有做成這次的生意，也不要欺騙顧客的行為，因為家父常說違背良心做事時不但對自己不好，還會影響子孫的將來，或對後代子孫都不好。

「雖然先祖與先父，沒有遺留的祖產，也必須腳踏實地，能以白手而成家，要有敬業的精神，靠自努力而打拼，流下辛苦的汗珠，創造美滿又幸福，做事應問心無愧，雖然開創小小的，微不足道之事業，也是驕傲的事情，並且值得自豪的」。這是我一生做人的原則與信心。我常常記得日政時代的一位海軍元師，名叫山本五十六。老一輩的人都認識他。他曾訓示過他的部下，後來也有人為他編一首歌，我是只記得其中的一部分：「敵艦見えたり，近ずきたり、……Ｚ旗

上がる。『皇国の興廃此の一戦にあり、各員一層努力せよ』
と」。如果把它翻譯中文是這樣的：「已經看見敵艦，似乎
漸漸迫近，……此時升起 Z 旗。『皇國（是指日本國）的興
亡在此一戰，希望各位更加努力』吧」。我是常常用這句日
本歌的內容，提醒自己在每一項的工作上。

⑭結論與榮譽：

我一生橫跨日本統治、中國國民黨、民主進步黨執政的
三個時代，現在又回中國國民黨執政，經過長期的耳目所看
到與聽到的一切，又思考與反省後，至今還是懷念著日本統
治的時代，雖然那個時代，我們還在念書的時代，一切無煩
無惱，可以說是童年黃金時代，因當時是第二次世界大戰，
身為老百姓的我們生活沒有現在的富裕，是最貧困的生活，
又遇著第二次世界大戰時，終日提心吊膽不說，為了逃避空
襲隨時要躲入防空嚎內，避難與晚上得管制燈火的日子。但
是想起昔時在學校聽過老師常常教導我們說：人生雙手被人
捆綁（第二次大戰時，由於物資缺乏，當時沒有見到手扣）
在後面行走的人，是羞得無地自容，也是父母無臉見人的，
於心有愧的，是最可恥的事情，所以當時的小偷都很害怕被
人發現，不像現在的小偷如果被人看到時，反倒會殺人滅口，
而且犯罪的人越來越年輕人的較多，是很可怕的事情，以前
的小偷確實是為了生活所迫而走險，不像現在的小偷是為著
奢侈、奢華而犯案的也不少。這是不是教育有問題？難道說：
是我們治安當局防範不力？還是有其他的因素癥結存在的問
題？或是時代在變的關係？使我難懂其原因。每天翻閱報

章、雜誌、或看電視，呈現眼前的一大隱憂是：社會犯罪案件大幅度的提昇，從以前單純的竊盜到目前的槍劫、勒索、殺人，其作案手法的殘酷更是叫人聳然驚心。我記得 1992 年 5 月 1 日被選為全國模範勞工，當時全國有 2100 萬人，勞工約佔其 1/3，大約有 700 萬人，1992 年度當選全國模範勞工有 196 人,其中特選 40 人於 1992 年 9 月 6 日至 16 日被安排去日本考察順便旅遊，很幸運我是被選去日本其中的一位，其他的模範勞工分二梯次案內去金門訪問旅遊三天。我們從日本九州之福岡、關門大橋、秋芳洞、長崎、熊本、阿蘇山、別府、高松、瀨戶大橋、岡山、姬路城、大阪、奈良、京都、濱名湖、白絲瀧、河口湖、富士山、箱根、東京、千葉、迪斯奈樂園等一路考察與旅遊，然後又回到東京再折返台北。我在日本期間，所看到的與令人驚嘆的事，第一，每一棟的房屋窗戶都沒有鐵窗，商店的玻璃櫥窗也不用鐵門來關。第二，也不曾看到警察，由此可見，他們的治安與交通，要說如何的好就有如何的好。記得遊覽至奈良的東大寺，與林間之梅花鹿為伍後，乘車至約一公里處，有一位我們的女團員才發覺她的手提包，還掛在遊客出入很多的東大寺公園之樹上忘記帶上，當時的心情很驚慌、很著急，後來至餐廳後與導遊向餐廳借用機車騎回至原地時，手提包還掛在樹上，如果此件事在台灣發生恐怕早就不見手提包了。提起交通，行人要穿過馬路時，不用擔心會被車子撞倒受傷之慮。有一次我們團員 10 餘人正要通過一條馬路,當時我也在隊伍中，遠遠就已經看到一部小客車駛過來，我們立即駐足等著那部小客車先過，我們的導遊的人員說話了：「他會等我們

先過去的」。我們不相信他的話，還是耐心等那部車子，小客車慢慢接近我們，然後在斑馬線的終線自動停了下來，一直等著我們 10 多名的團員完全通過了，才啟動開走。這件非常細微的小事，卻震撼了我們，那就是日本人守法，禮讓的公德心，經常開車的人，每到巷口的時候，總會習慣性按一下喇叭，目的就是提醒往來人車，可是這適得其反，不但會製造噪音，反而會驚嚇行人，應該多學習日本的守法禮讓精神。另有一次我們的座車進入市區行至十字路口要轉彎時，當時我注意到我們的座車一直在十字路口等到直行的大小車輛均已通過後才轉彎過去。如果在台北乘坐公車時，常常看到公車靠它車身大，不管直行車還有多少車輛，或行人有多少人，看到路上沒有交通警察時，它一定要強行轉彎過去。在高速公路行駛時，每輛車距必定保持 50 公尺以上，而時速最高 80 公里，因人人守法不曾看到超速的車輛。第三，環保也做得很好，無論城市、鄉村、山林到處都是乾乾淨淨自然的景觀，抵身在其中整日能呼吸到新鮮的空氣。其他還有建設、民情、風俗、生活等……種種不勝枚舉。難怪，我們受到日本時代教育的人，至今念念不忘日政時代的環境。我成長於日本時代的人，不太能接受當時一些作風和曾經推行的政策，卻不得不感激他們為我們建立穩定繁榮的社會。由此可見，我們 1935 年以前出生的人，大約現在有 75 歲以上的這一代對於日本還存著說不出的感情，但願我們的國家（台灣）將來也能和日本一樣，成為人人所欣慕的國家。

　　我的人生起伏不定，幼年讀書時，常受繼母虐待，及第二次世界大戰的動亂與貧苦的生活，大戰後，當過沿街叫賣，

又經過學徒生活之後，一技在身，以一支剪刀走遍天下，於
1952 年秋，隻身從鄉下來台北謀生，自力更生，刻苦奮勉，
腳踏實地，由縫製師、裁剪師，至自營麗新男女高級時裝社，
創設麗新男女服裝補習班。從事服裝業之工作已逾半世紀
（1950 年迄今），平日堅守工作崗位，致力國內外服裝新知
之研究，能做男裝、女裝、旗袍，甚至童裝、成衣等設計、
裁剪製圖、縫製等技術有獨特的造詣，在國內要找這樣的人
材，可能找不到第二人。工作餘暇所輔導之服裝界學員，在
歷次參加甲級服裝技術士技能檢定，或國際服裝技能比賽皆
榮獲大獎。其技術經驗與教養之深，堪為作育人才之楷模，
乃為我國素負盛名的從事服裝教育學者，亦為國際馳名享譽
日本、韓國、亞洲各地區服裝技術專家。在業界相關團體，
也當選過監事、理事、常務監事、常務理事，甚至當選過跟
國際級服裝團體有來往的中華民國服裝研究學會理事長，亞
洲西服業者聯盟中華民國總會技術顧問等，全國最高服裝團
體之重要職務。學養融貫東西服裝文明之長，是當時服裝知
識文化界的精神領袖。並曾任教於台北縣莊敬高級中學男
裝、女裝、旗袍等科專任教師 5 年（也是本校首辦服裝科創
辦著）、高雄市樹德女子高級家商職校女裝科專任教師 2 年，
也曾被外聘到日本、韓國等國家去服裝技術演講。以及國內
縫紉工會或公會聘請去擔任服裝技術研究會等演講多次。

　　我的一生，值得回憶的事，可以說在國際或國內服裝相
關團體中，獲得 100 件以上的大小獎牌、獎杯、感謝狀、獎
狀等，也曾榮獲內政部張豐緒、邱創煥等部長、教育部朱匯
森部長、行政院勞工委員會趙守博主委、台南縣劉博文縣長、

台北市政府李登輝、楊金欉、馬英九、郝龍斌等市長、台北市政府教育局黃昆輝局長、社會局郝成璞、師預玲等局長、勞工局鄭村棋、陳業鑫等局長、衛生局邱文祥局長、都市發展局丁育羣局長、衛生福利部蔣丙煌部長、衛生所陳少卿所長等嘉勉多次。最難忘的是膺選 1992 年度全國模範勞工，榮蒙李登輝總統召見嘉勉。並在 196 位模範勞工中另選 40 名之其中一名派往至日本考察。俗語說：「年輕人憧景未來，老年人回憶過去 —— 青年は未來を夢み、老人は過去を夢みる —— Young men see uisions；old men dream dreams.」是我現在的最佳寫照。

　　我是白手成家，雖然稍有成就還不敢自滿，現在應該退休的年齡，為了有健康的身體，還不完全退休，例如：我現在每週最少固定三處的地方做志工，起頭做志工的理念是「㊤在服務不求名，㊦作愉快不為利」，但是後來又有新的理念就是「健康、學習、服務、交友」等四種。人生到年老時會覺得身體健康是一件事，要健康就要走動，我們常常說「活動」即「要活就要動」，我們來做志工一方面要走動所以時常叭叭走，並且對不知道的事，要學習的事還很多，所以另一方面要學習，然後才能為民眾服務，為人服務就是一種快樂，最後在這裏服務期間，還可以結識很多志工兄姊們。另外在大同區公所所舉辦的長青學苑有適合的課就參加，現在為著學識還在國立空中大學全修生修學中，其他還有各種人民團體的活動或開會，如有閒假，就準備著作有關服裝的書籍或備忘錄等，到目前已著作麗新設計裁剪全書（1975 年 8月出版）、日本洋服技術書（1978 年 6 月出版）、訂做西服

技術書（2009 年 1 月出版，2013 年 10 月再版）、呂寶霖自傳 —— 備忘錄附族譜（2015 年 4 月出版）等。今後還要準備著作婦人服裝技術書、旗袍實技範本、領子製圖實技、補正之研究等，因此每天還過著忙碌的日子，期望每天活得有意義與尊嚴的人生。有一句名言說：「健康是由勞動而產生，滿足是由健康而產生 —— 健康は勞働から生まれ、滿足は健康から生まれる」。

作者在台北市政府勞工局勞資爭議諮詢志工服務時情形

跟人合資開店或設成衣廠

　　我第四次跟人合資開成衣廠時，我們三位會做服裝的三身老公仔標。在辦公室合影留念。左起：陳秀月、楊炎煌、呂寶霖、劉錫均、黃秀惠等。

一生有四次跟人合資開店與設立成衣廠都失敗

　　我的一生有二次跟人合資開訂做店與二次投資開設成衣廠的經驗，但是都是失敗關店或拆股關廠之運命。

　　第一次：我初來台北不久的 1954 年 6 月，在城中市場（台北市武昌街一段 22 巷）內美美服裝社（老闆林朝元）為女裝服裝師時，經店裡的涂孝康（福州人）、黃小姐（鹿港人）、白金蘭（台南市人）等三位的同事之提議，在斜對面美元新裝社之店底開店，因不曾開過店的好奇而答應共四人合夥籌設勝美時裝社，當時大家沒有什麼資金，均簡單有工作台與針車就開業。但是生意不甚好，幸好美美店裡有一位傅聰明女裝師，在 9 月台北市延平北路二段 162 號建美服裝號（老闆張依鏗，福州人）新開幕時就轉去建美工作，於 10 月也從擁而介紹我去建美工作，因此，我將勝美的店務交給他們三位同事去經營，然後也去建美工作。

　　第二次：我於 1958 年 4 月 16 日（歲次戊戌 2 月 28 日，紀念家母的生日）結婚後不久，當時在建美服裝號擔任裁剪手後三年，在建美工作也有四年久而有些積蓄，也該有自己的事業而想出去自己創業，我們本來想籌備一間以我們現在所累積的能力之小小服裝店，夫妻倆共同努力本想能溫飽過著安定的生活，而慢慢擴大為目標，但是，當我們在籌備開店的消息傳開時，住在下營的太太之姊夫（駱煥宗）知道後，向岳父說欲跟我們合資開服裝社，因合股做生意後都會發生不如意而拒絕，但後來如果不同意合夥恐被誤會我們是怕他

跟著我們賺錢，又經過岳父再三的保證後，而同意合資開店，我們經於 1958 年 5 月 18 日在圓環邊天水路 3～5 號（房東周蔭庭）租店各出 8 萬元合資開明輝服裝社，但是合股經過半年後，我們所擔心的事終於發生，雙方意見與理念不同而拆股後，經岳父的建議才搬回新營與下營開店與補習班。

　　第三次：我們在新營與下營住 8 年久後，建美老闆特意從台北來下營說服我們再來台北幫助他擔任裁剪手後，於 1972 年 10 月左右，下營有一間碾米廠要關廠而出售土地與地上物的消息後，經內兄（陳天輝與駱煥宗）的提議要將該碾米廠購買後為外銷成衣廠，後來共有七位鄉親每人出資 30 萬元合股開永盛纖維股份有限公司。當時陳天輝任常務董事兼董事長，駱煥宗任常務董事兼總經理，我任常務董事兼台北市辦事處主任，陳炳林任董事兼廠長，徐振村任董事兼監察人，陳焜炫任董事，其妻陳阿里在工廠任組長，姜耀興任董事兼公司發言人。大約一年多後的 1974 年 2 月底，因生意不好未能賺錢而虧本後又拆股解散。

　　第四次：記得 1991 年 9 月 20 日（歲次辛未年 8 月 13 日）在宜蘭好友楊炎煌之次子明仁與謝麗華結婚的宴席中，遇到好久不見的另一位好友劉錫均也從豐原趕來宜蘭參加明仁的婚宴。在宴席中劉錫均提起要招每股 30 萬元開設成衣廠之事。在討論中提起工作的來源與成品後的流向之問題，在劉錫均的構想中說，他的兒子劉政憲與乾兒子林錫鏞均從事販賣男西褲的服裝與找人代工 FINA 的產品之生意人。他們所販賣的西褲均為 FINA 的品牌，因此我們如成立成衣廠後，一切工作來源均不成問題，不用擔心成品後的流向問題。

因此我與楊炎煌欣然答應要參加而約定 10 月 7 日在豐原討論如何進行設廠之事。

我與劉錫均（1935 年 1 月 6 日，歲次甲戌 11 月 11 日申時生）是我於 1958 年 7 月 26 日在台北圓環邊天水路 3～5 號開設明輝服裝社時，是我的男裝師傅而認識至今，我與楊炎煌（1932 年 5 月 31 日生）是我於 1973 年 10 月 27 日參加中華民國服裝研究學會後認識至今，因我們三人的年齡相差 1～3 歲左右，而且都是從事服裝業的人，因而個性能投機而比較談得來。

後來經數次在豐原討論籌備與認識參加認股之豐原知名仕紳後，又討論安排人事問題，因為劉錫均與楊炎煌及我均為服裝專家，經大家討論後一致推薦劉錫均為常務董事兼董事長，楊炎煌為常務董事兼總務經理，我為常務董事兼廠務經理，廖學鵬（新泰隆布行店東）為董事兼總經理，我們四人自 1991 年 11 月 1 日起在公司成立後均有薪資可領，劉錫均與廖學鵬均領車馬費各一萬元，楊炎煌與我住在廠裏巡頭看尾兼運作工廠一切事務各領三萬二仟元外，住在廠房與伙食均為免費，其他的人均為投資性質沒有薪資，李晉千（鐵工廠）、林宏池（牙醫師）、陳清潭（販衣）、廖正男（新泰隆布行之房東，經商）等為董事，魏陳素蓁（雜貨商）為董事兼監察人，劉政憲（販衣），林錫鏞（販衣）等為董事。公司名稱為衣麗特實業有限公司（製衣廠）。

本來的計畫是以三佰萬元的總資本為基礎，但是後來找工場時找到台中縣后里鄉公安路 151 號一處三佰坪（房主陳清洲）的鐵皮屋為工場後，為了設備而增加至捌佰萬元。其

中劉錫均認股 210 萬元，我是 120 萬元（向政府登記時，我與呂陳秀月、呂佳珍、呂佳玲、呂佳桂、呂建勳等各為 20 萬元），廖學鵬 100 萬元，楊炎煌 60 萬元，魏陳素蓁、李晉千、陳清潭、林宏池、廖正男等各為 50 萬元，劉政憲、林錫鏞等各為 20 萬元。這些股金大家討論後，一致規定於 1991 年 12 月 31 日以前交 80%，其餘的可以延遲半個月交清。但是，後來於 1992 年 7 月又增資 25%時，其明細是劉錫均 40 萬元，廖學鵬 35 萬元，我與家人各 5 萬元共 30 萬元，魏陳素蓁 20 萬元，楊炎煌 15 萬元，陳清潭、李晉千、廖正男、林宏池、劉政憲、林錫鏞等各 10 萬元，共計增資 200 萬元後的資本額為 1000 萬元，另外又向外借貸 250 萬元在周轉。我的感覺自開始時劉錫均以董事長之尊，而一直增設機械之故才一直增資。因此公司的營運愈來愈困難。後來於 1994 年 2 月 15 日楊炎煌與我就退出股東，因為我倆入股時就言明要同出同入，所以我就跟楊炎煌同時退股，退股時僅能取回 60% 的股金，因此我僅能取回 90 萬元而損失 60 萬元，楊炎煌是取回 45 萬元而損失 30 萬元。但是，我們退出後大約三個月後聽股東們說，公司解散時各拿不到 30%的股金，而且大家鬧得不歡而散。

　　附註：我在后里時，曾於 1993 年 12 月 21 日考過 B 駕駛自動排檔車之普通小型車汽車駕駛執照後，由后里曾開箱型小貨車至鹿港給人家燙后里所生產之褲子，但是，回來台北後因下輩人認為我的歲數漸漸多，手勢較為不靈活，致使不同意我再開車，而自從回來台北至今未開過小型車。

作者與夫人在永盛纖維股份有限公司門前合影

當時出國是很稀罕的事，很流行着在脖子掛花圈，因此由
太太掛花圈之情形（中為當時的最小之兒子）。

我於 1975.10.29 第一次出國時由韓國出具聘書聘我去韓國
演講有關服裝技術問題，當時在松山國際機場與送行者合
影留念（後排右七為作者呂寶霖先生）

1975.10.29 作者呂寶霖先生第一次出國時，作者的父母還健
在時，家族及學生們在松山機場與送行者合影留念。

1975.11.1 作者呂寶霖先生應聘到韓國擔任「韓中服裝技術交流講座」專題主講之情形，右旁者為大韓服裝學院徐商國院長擔任翻譯。

訪問團拜會我國駐韓大使館，由政治擔當參事官吳肇熙先生（左第三人）接見，於大使館前合影留念（右第三人為作者呂寶霖先生）

右上圖：1975.11.16 在大板城前留影。
左上圖：作者呂寶霖先生於 1975.11.1 擔任韓中服裝技術
　　　　交流後，受到大韓服裝學院徐商國院長贈送的韓
　　　　國婦女穿的韓國衫給作者太太作為禮物。
下　圖：1975.11.10 參加東京觀光一日遊（當時￥3.300
　　　　円），在皇宮二重橋前團體合影留念（第二排右
　　　　四為作者呂寶霖先生）。

參加人民團體歷

①首次加入西服最高學術團體：

　　自從離開學校到社會服務後，時常聽到人家在談論參加人民團體時，只有繳交會費外其他連一點的好處都沒有。因此，我對公會或工會，甚至協會或學會等團體都沒有興趣，在心裡頭只有專心把自己的事業經營得好就好。我認為在自己的職業工作上認真打拼至有知名度是人生最大的願望。

　　因此，我自從 1962 年 9 月創立「麗新男女服裝補習班」後，默默耕耘，潛心研究服裝技術，因此不久在台灣全國各地聞名而來學習的學生很多，在台灣北部、中部不用說，從南部、東部甚至外島的澎湖、金門等地區都有人來學習。因此，在國內外有些名氣，直至 1972 年 3 月亞洲西服業者聯盟中華民國總會鄭其發理事長，由高雄專程來台北寒舍說服我加入該會為會員，看到鄭理事長的為人很熱誠又很誠懇，後來我就答應加入該會為技術優秀會員（亞盟中總會字第 0116 號），成為我第一次參加人民團體的組織。該會的會員全部都是台灣全國各地區的西裝店之業者，是由台灣、日本、韓國、香港、泰國、新加坡、馬來西亞、印尼、印度等亞洲各國之西服業者以亞洲聯盟為名而成立的國際人民團體，在國內算是中央級（內政部）所管轄的人民團體，在國際間的西

服技術交流有互相往來，因此，該會的會員依章程規定是全國各地的西服店之業者有執照的才能加入為會員。因此，至翌年該會召開會員大會時，鄭理事長受到眾人的質詢說：我及另一位李乾生先生是開補習班的業者，依法不符，因此，我倆雖然會做西服，但是開補習班的同業之會籍被除掉，因我倆在服裝界有些名氣，而改聘我們為該會的技術顧問。

　　但是，經過幾年後，因服裝業漸漸沒落，因有些會員生意不好而關店，致使會員愈來愈少，該會為了健全組織，不得已就開放補習班甚至女裝店或成衣的業者都可以加入，但是，我因於1973年10月籌設中華民國服裝設計學會後，當選常務理事，又1982年11月1日當選中華民國服裝研究學會理事長後，忙於自己的事業之外還要為學會而忙碌，致使至今沒有加入該會的會員，因此，該會一直聘我為西服技術顧問至今。

②籌設服裝類最高學術團體之經過：

　　於1973年10月中華民國服裝設計學會（服裝研究學會前身）的籌備發起人陳瑞生（瑞芳人）先生來訪說：要籌組申請服裝設計學會，可以說服裝類最高學術團體，而邀請我一起籌組該會事議，經籌組後於1973年10月27日成立中華民國服裝設計學會並召開第一屆第一次會員大會時，陳先生順利當選第一屆理事長，而我當選為常務理事，從此忙於自己的事業之外，還要參加處理學會事務，學會也是屬於中央級的人民團體，亞洲西服業者聯盟的會員是以男裝業者為主，但是設計學會是會做服裝的男裝、女裝、旗袍甚至成衣

社團　大韓洋裁協會　副會長
法人
國際技能立即可　審查委員
勞動廳技能檢定委員
尹鎮復洋裁學院院長
尹　鎮　復
서울特別市中區忠武路1街23-5號
電話　76-1524, 76-3711

首題　尹鎮復洋裁學院
서울特別市中區忠武路1街23號
TEL　776-3711
[AIR MAIL]

TO：中華民國台北市重慶北路二段三三五之
一號三樓
麗新服裝雜誌社

呂寶霖　社長貴下

[PAR AVION]

敬啟
每次貴社的雜誌　送附到著此時　非常的感謝
呂寶霖社長發行的　每月蒙貴社雜誌
貴雜誌的內容很充實　其在技術方面他社是追從
不到的
中華民國服裝界的貢獻最大
尤其是　呂寶霖先生　稻創的衣領製圖法最優秀
去年呂先生來韓時　本人敬稱　先生的誇讚感銘至大
願貴社繁榮　呂先生健康　事業成功　自遠轉回祝願
西紀一九七六年七月二十六日
為人　尹鎮復　鈞上

追記
呂寶霖社長貴下
大韓洋裁協會發行的　雜誌亦同封送

都可以申請加入為會員，當時政府尚未開放民眾隨便出國觀
光，因此，全國會做服裝的業者很希望加入設計學會為會員。
因為學會的章程只要會做服裝的業者，而且對服裝要更進一
步的研究，並要瞭解技術的問題均可以申請加入為會員。因
此利用學會會員之名義出國考察而順便觀光。

　　本學會常常舉辦各種服裝研究會，並跟國際間的服裝團
體有來往，所以有時候還聘請外國名講師來台灣演講服裝技
術問題。因此，於 1975 年我被韓國與日本之同業先進賞識，
而有機會受聘前往韓國與日本等國家去擔任服裝技術演講，
因第一次出國，又是第一次在外國演講服裝技術問題，恐怕
在國外漏氣，因此在出國前傷透了腦筋要演講甚麼資料，因
所演講的題目又不能跟外國講師來台演講的題目與內容相
同，有甚麼題目才不會被外國的同業看輕我們的服裝技術，
並能爭取國際地位，經過思考後決定以領子製圖，重點在於
「領腰與領寬及領子臥倒關係」為題目。幸好我幼時受日政
時代的教育，懂得日語的說法，又韓國之同業跟我同輩的都
懂得日語，所以在韓國演講時，當然是用日語演講後，由韓
國大韓服裝學院的徐商國院長再翻譯為韓語，在韓國演講時
不但是業界的專家來聽，也有很多是自己開辦服裝學院的院
長與老師來聽講，可以說是有頭有臉的人，所以不能隨便講
講就好，對於技術性的問題要有合情合理，否則會被人指指
點點，幸好我所演講的服裝技術，不負眾人的期待，並受到
很好的批評與肯定，因為我自從離開學校到社會後，一直抱
著幼時日政時代所授日本教育的影響，無論自己是扮演甚麼
樣的角色，一定不能被人看輕或不能實現的空思夢想，即抱

1982.11.1 本書作者呂寶霖先生光榮膺選中華民國服裝研究
學會理事長後親自主持理監事會議之情形。

著自己所能及之能力,如學徒時代抱著被人稱讚的出色之學徒,出師後又能做到被老闆重視的人才,自己開店時受到顧客的歡迎而再次的光顧,開辦補習班後受到學生的懷念與尊敬的老師而免費的宣傳。如這次出國演講能受到聽講者之好評,因為有一位韓國的洋裁學院之伊鎮復院長於翌年(1976年)7月26日寫信來給我,我才知道在韓國所演講的服裝技術也受到韓國的服裝界業者之肯定,因此,當時徐商國院長贈送我30吋高的獎杯,並聘請我為該服裝學院的名譽講師,大韓服裝技術協會牟宣基理事長聘請我為該會的國際技術委員。自從這次韓國與日本演講後,我在國內的業界不用說,在亞洲各地區的服裝界也稍有相當高的知名度,並成為服裝知識文化界的精神領袖。

③擔任理事長後積極發揮學會功能:

中華民國服裝研究學會,是全國性與國際性的服裝學術團體,前身原名為「中華民國服裝設計學會」,成立於1973年10月27日(台內社字第572057號)。第一屆理事長為陳瑞生先生,1976年12月1日任期屆滿改選後由許丙先生接任,1979年2月25日第二屆任期屆滿改選,許丙先生再度膺選連任為第三屆理事長,在該次會員大會中曾通過提案:以「設計」兩字,偏於技術性,範圍過於狹窄,不能涵蓋該會任務項目,以正名為「研究學會」較為妥切,並易於發展,會後專案報奉內政部核准(台內社字第29625號),於1979年8月13日起正式更名為「中華民國服裝研究學會」。原設計學會第三屆,實際上應為研究學會第一屆,於1982年8

月 1 日又改選時，李乾生先生（當時 75 歲）以年高德劭光榮膺任理事長，但是因為學會經濟環境十分艱困，李理事長又心力交疲，難於周全，故於三個月後的 11 月 1 日遵奉內政部指示重新召開理事會，重新選舉理事長，依該會章程第 11 條規定：「本會理事會設理事 31 人，由會員票選之，理事互選 9 人為常務理事，並由理事就常務理事中票選一人為理事長」，故此次選舉十分慎重，並較激烈，在內政部拜人鑑督下選舉結果，我以七成之多數票膺選理事長。當日起並即極開始行使理事長職權。此一職務任期三年，至 1985 年 7 月 31 日止。

我擔任服裝最高學術團體之理事長後，積極為會員提升技術而努力，為發揮學會研究功能，強化本會組織，隨即成立男裝、女裝、國服、成衣工業等四個研究小組，並推選理事莊元琳、吳明秀、黃蔡梅及常務理事葉金燦分別擔任各組組長，負責策劃各組研究，在任內為了業者能提升服裝技術，舉辦了 15 場聘請國內的名師為講師之服裝研究會，每場都是從上午 9 點～下午 5 點止。並於 1984 年 3 月 12～13 日、15～16 日、18～19 日聘請韓國大韓服裝學院副院長韓珍洙（當時 56 歲）先生在台北、高雄、宜蘭各二天共六場的中韓服裝研究會，另外於 1984 年 6 月 10～11 日、13～14 日、16～17 日、19～20 日聘請日本東京洋服技術泰斗岸本重郎（當時 77 歲，因此給他另外辦保險）先生在新營、高雄、台北、宜蘭等地區各二天共八場的 1984 中日服裝研究會，以實際服裝（Tuxedo —— 塔克西都、晚宴服）製作為示範。又於 1983 年 10 月 16 日召開會員大會時，舉辦慶祝研究學會成立 10 週年紀念時，並同時舉辦第一屆服裝作品比賽展示會與頒獎

給有功會員及各種活動，整個場面顯示出肅穆、壯觀、生動活潑的學術氣氛，在大會中又通過，為敬老尊賢，凡本會會員年滿 70 足歲，即可享受免納會費之優遇，並在本會章程中有關會員應享權利項增列：「會員年滿 70 足歲，得享受免納會費之優遇」。

　　擔任服裝研究學會理事長任期將滿之前，因受兄弟之拖累，不但影響日常生活與經濟之困難，雖然學會的會員與理監事，希望我能再連任繼續為學會服務，但是我無意再連任理事長之職，使我失去連任的機會，因此召開會員大會並選舉下屆之理監事時，我堅持不連任而將我的提名之名單刪掉，而進行選舉下屆的新理監事與新理事長，而於 1986 年 7 月 16 日辦理移交後，一直擔任該會的名譽理事長與顧問至今，從此全心為自己的事業而忙碌。

　　④簡述自從 1972 年參加人民團體以來，所經過情形如下：

　　1972.3　亞洲西服業者聯盟中華民國總會鄭其發理事長，很誠懇由高雄來台北邀請我，首次加入西服最高學術團體以來，歷任技術優秀會員、技術發展委員、技術常務委員、技術顧問等至今。

　　1973.5.1　有一位遠親陳炳林當選台南縣縫紉商業同業公會理事長後，聘我為該會的服裝設計常年顧問。

　　1973.8　因跟補習班有關係而加入台北市補習教育事業協會為會員後，不久召開會員大會時當選理事後，每屆均當選為理事至 1992.6.10 退會為止。

　　1973.10.27　籌設服裝類最高學術團體，名為中華民國

服裝設計學會後改為服裝研究學會，歷任會員並當選為常務理事，兼全國第 1、2 屆展示觀摩會、表演會、技術交流研究會、攝影組組長、教務組女裝組講師、女裝設計評審主任委員後、理事長、名譽理事長、顧問至今。

1974.12　為了出版服裝雜誌而向新聞局申請雜誌社時，規定有基本金 30 萬元之外，還要加入中華民國雜誌事業協會為會員後，雜誌出版至 1993.11.15（第 137 期）停刊止。

1975.10　台北市縫紉業職業工會的王忠杰總幹事知道我在服裝界有一點點的聲望，而一直鼓勵我加入該會為會員，後來並擔任小組長兼代發勞保單之服務站外，進而會員代表、候補監事、監事、候補理事、理事，並兼任會刊社務委員、特別濟助審查委員、會員子女獎學金評審委員等至 2009.6.15 為止，因年紀將近 80 歲而退會

1977.6　台灣國際兒童樂助會為會員至 1987 年後退會。

1977.9.1　台北市縫紉商業同業公會陳雲龍理事長聘我為該會的榮譽顧問。

1981.3　台北市中國國服（旗袍）研究會楊成貴理事長知道我也會做旗袍，邀請我加入該會為會員，並於會員大會時當選為理事迄今。

1981.3　中華服飾學會。

1981.10　住在厝後的呂子良宗長之介紹，而加入世界呂姓宗親總會以來，歷任會員、會刊編集委員、會刊社務委員、會刊總編集、監事迄今。

1982.5　台北市呂姓宗親會呂水木理事長，在世界呂姓宗親總會會員大會時，邀請我加入該會為會員，歷任會員、

理事、常務理事、監事等迄今。

1984.3.6　健康基金會為會員、指導委員、永久健康之友。

1986.9.25　台北烈山五姓（呂、盧、高、許、紀）宗親總會籌備委員。

1994.7.1　遠親陳炳林理事長之太太（姜碧雲）當選為台南縣新鳳獅子會之會長後，聘我為該會顧問。

1995.1.15　台北市台南縣同鄉會會員迄今。

1999.9.21　台北市大同區民權社區發展協會後，順利當選為常務監事，後來當選常務理事迄今。

2001.11.11　台北市彩虹心服務協會呂佳桂理事長之邀請，並當選為該會理事。

2006.4.30　台北市攝影學會為會員。

2007.9.23　全國呂姓宗親總會成立，並當選為監事迄今。

2011.8.20　台北市社區營造志願服務協會成立，並當選為理事。

附註：我自從開店與設立補習班後，本來對參加人民團體有一點感冒，但是參加後才知道要在自己的行業（業界）裏發展與聲望以及得著眾多的獎牌與獎狀，是要加入人民團體重要幹部才有機會得著的，所以無論如何還是要參加屬於自己行業的人民團體比較好，這是我的經驗談。

韓國訪問考察記

①飛越琉球，抵達首爾！

第 24 屆國際技能競賽大會,這次輪由韓國在釜山隆重舉行,我國服裝界應邀觀察員,由中華民國服裝設計學會組團成行!我很榮幸地,被推派為觀察員之一,隨團前往,得遂觀摩競技的心願!

1978 年 9 月 8 日上午 9 點,我們在台北松山國際機場集合,送行人員,有中華民國服裝研究學會許丙理事長、韋雋謀祕書長,台灣省縫紉公會廖義助理事長、麗新男女服裝補習班學生及團員眷屬等多人,在告別聲中,互道珍重,充滿了一片熱情洋溢!

我們搭乘的是國泰班機,在台北 11 點 30 分起飛,當飛機加速上昇時,高度約達 1 萬 2300 公尺,時速是 625 公里,由台北到首爾金浦機場,全程需時約 2 點 10 分。

在飛往首爾的旅途上,經過琉球上空,我們從飛機上探看地面,宛如月球的表面圖形。飛越過琉球,臨近韓國海岸,遙遠望出,猶如一片雲海,氣勢非常壯濶!

下午 1 點 30 分飛抵首爾,下機後步出機場,當時有首爾的韓國服裝技術協會(因為我 3 年前曾來韓國大韓服裝學院演講服裝技術後,該會跟我國服裝研究學會締結為姊妹會)

友人李庸秀、徐商國、白雲鵬、李龍海（見附圖照片）等多人，已在機場迎接，並在機場拍照留念。

　　離開金浦機場，我們乘坐計程車，前往首爾阿里郎旅社休息。在行車途中，看到韓國各種軍隊在五六館操練演習，準備在 10 月 1 日軍人節時，舉行閱兵大典！

　　到達旅社，我們分配禮物，贈送給韓國服裝技術協會的幹部，以增進兩國同業之友誼。同時，以銀盾一面贈送協會，以表敬意，並拍照紀念。

　　當晚 7 點，韓國服裝協會為我們安排接風，我代表麗新服裝雜誌社贈送拙作「麗新設計裁剪全書」及譯本「日本洋服技術書」和「萬能角尺」等給徐商國院長，和協會李庸秀先生（前會長）雙方交談甚歡！

作者呂寶霖赴韓時與夫人陳秀月在台北松山國際機場合影留念。

中華民國服裝研究學會於 1978 年 9 月 8 日出國訪問
團，在台北松山國際機場合影留念。左起：作者呂寶
霖（常務理事）、張梅松（常務監事）、胡福宗（常
務理事）、藍清文（理事）、黃煥潭（理事）等。

我服裝界赴韓訪問團在台北松山機場與送行人士合影留念。

接機代表與訪問團在金薄空港合影留念！左起白雲鵬（大韓服裝事務局長）、李庸秀（大韓服裝技術協會名譽會長）、胡福宗、呂寶霖、藍清文、張梅松、黃換潭、徐商國（大韓服裝學院院長）、李龍海（服裝月報編輯部長）等。

呂寶霖（右三）致贈著作和萬能角央結大韓服裝學院徐商國院長（右一）與大韓服裝技術協會名譽會長李庸秀（右二）合影留念。

②愛國情操，發人深省！

9月8日晚上7點時，我們訪問團一行，在首爾新亭大餐廳，應韓國服裝技術協會的邀約，在接風宴會上，承蒙前會長李庸秀與徐商國院長等招待殷切，盛情感人！

宴會開始，首先由李庸秀與徐商國二位先生代表韓國友人致歡迎詞，繼由張梅松團長代表一行致答詞。

張梅松團長在致詞中說：這次中華民國服裝研究學會，茲承貴會的邀請，特地組織一個代表團來到韓國訪問，觀摩由韓國主辦的第24屆國際技能競賽，這是中韓兩國服裝界的兩個學會自從1974年締結為姊妹會以來的第二次交誼，在促進兩會間的親善合作，當有很大的助益。

張梅松說：韓國近10年來，在朴大統領的卓越領導下，一切都在突飛猛進，即使在服裝技術方面，亦無例外，在歷屆國際技能競賽中，韓國選手每都名列前茅，奪得金牌可資證明，相信這是貴會及諸會員先生協助政府，貢獻能力培養新秀的偉大成就，本學會同仁深為欽佩並引以為榮。

在宴會中，李庸秀先生提起他在9年前，曾經訪問過我國。他說，當時他到台北拜訪高玉樹市長，擔心語言不通，原想到韓國大使館請一位翻譯，未料見到高市長，卻懂得日語，並且用日語和他慢慢交談。他說，高玉樹市長非常好客，特地請他到一家餐館去聚餐，在餐廳裡他曾聽到一位小姐唱日本歌曲，他問高市長，在韓國很難聽到日本歌，貴國可以唱嗎？高市長說，因為本省過去被日本統治過，而且，音樂是不分國籍的。他說，台北的市民太有福了！

李庸秀說，在1969年的時候，他到台北參加亞洲西服業

徐商國院長在接風宴會上致歡迎詞。

張梅松團長在接風宴會上致答謝詞。

者聯盟中華民國總會開會，曾受我國內政部的禮遇，他覺得中韓兩國乃是兄弟之邦，到台灣來毫無到國外的感受。

談到國際技能競賽方面，李庸秀說，韓國在服裝技術比賽上，雖然每次都得到冠軍，但他感覺到台灣的服裝技術和韓國誼屬兄弟，希望也能百尺竿頭，更進一步！

他說：現在韓國的處境，和中華民國完全相同。他特別提醒我們，現今日本有很多共產黨分子，正進行想顛覆南韓和中華民國，他希望中韓兄弟之邦，應該大家團結起來，竭盡全力，一致抵抗共同的敵人，消滅萬惡的共匪，恢復國土，統一全國，好過太平的日子！

③訪問釜山，參觀競技

9月10日，晨7點50分，我們訪問團一行，由首爾阿里郎飯店出發，至京釜高速公路總站，乘8點20分美製大型豪華冷氣灰狗客車，沿高速公路南下釜山。

韓國的高速公路，平坦壯濶，風景優美！我們坐在車內，感覺到寬敞舒適，平穩安祥，一路欣賞大自然的景色，滿眼青葱翠綠，令人心曠神怡！

經首爾到釜山沿高速公路行駛，約5個小時到達，中途在11點時間，我們經黃關，過隧道，抵達秋風嶺休息站吃午餐，並拍照留念。11時許啟程，至下午1點49分到達釜山站下車。

我們到達釜山，承蒙大韓服裝學院副院長張鎮、大韓服裝技術協會釜山支會會長韓鍾午，以及前任會長金錫昌、高丁杓等人前來迎接，一同赴世紀大飯店休息。

中華民國服裝研究學會韓國訪問團在京釜高速公路中
途秋風嶺車站休息拍照留念。左起為胡福宗、呂寶霖、
張梅松、藍清文、黃煥潭。

訪問團在釜山國際技能競賽會場與韓方歡迎人員合影。
左起大韓服裝學院副院長張鎮、大韓服裝技術協會中央
副會長高丁杓、我國訪問團員藍清文、呂寶霖、張梅松、
胡福宗、黃煥潭、大韓服裝商工組合聯合會釜山支部長
金錫昌、大韓服裝技術協會釜山支部長韓鐘午等。

在釜山國際技能競賽會場參觀服裝工比賽，製作者
為我國女裝選手姜茂順聚精會神製作之情形。

在國際技能競賽會場作者呂寶霖與女裝工選手姜茂
順（麗新男女服裝補習提名的同學，這次比賽榮獲
國際優勝獎）及比賽完成品合影留念。

在釜山國際技能競賽會場我國訪問團與我國女裝工
選手姜茂順合影留念。

下午3點，乘車往國際技能競賽會場，途經釜山車站時，突然被交通警察阻攔，司機交談片刻後，旋即放行。經我詢問之下始悉車行斑馬線上，未按規定停車，應受處罰。幸由司機隨機應變，說有外賓要趕往競賽場參觀，一時心急，未曾注意！警察看到我們胸前佩帶章，確實是外賓身份，故而不予處罰，從寬放行！由這一點人情味看來，韓國的交通警察在執行任務時，對情理法三者兼顧，其素養之高，確實令人讚佩！

　　下午3點半抵達第24屆國際技能競賽會場，此地是韓國公立的釜山工業職業專科學校，背山面水，校園廣濶，全部建築現代化，設備佈置均屬一流！我們在韓國友人陪同下，在各競賽場地巡迴觀摩，並特在服裝工競賽場攝影留念。

　　當我們正在會場大門拍照的時候，這時會場裡一群服務的女學生，看到我們胸前佩有青天白日滿地紅的國旗徽章，突然紛紛趕來要求我們簽名，並且對我們親切的說，中韓是兄弟之邦，希望獲得中國友人的簽名，作為永久紀念，使我們非常感動！

④逛釜山夜市，訪「中國街」！

　　我們離開國際技能競賽會場，乘車至海雲台參觀，遊覽海水浴場，並在海濱酒店休息，此地風景幽美，是釜山名勝地區。

　　在海濱酒店不遠處，有一座海雲公園，我們到公園裡遊覽一番，在公園裡看到一座崔君像，據說他是韓國距今2000年前的一位忠臣，後人為了紀念他盡忠報國，替他塑立一座銅像，建立在這裡，垂留永遠！

訪問團一行與韓國接待人員在韓鮮飯店前合影。左起黃煥潭、金錫昌、呂寶霖、高丁杓、張梅松、張鎮、藍清文、韓鐘午、胡福宗。

　　傍晚，我們到朝鮮飯店參觀，途經中央飯店附近，遇到一位交通警察，看見我們胸前佩有中華民國國旗標誌，向我們立正敬禮，我們馬上還禮，並向他致謝！我們覺得韓國的軍民，對我們中華民國的友好，使我們太感動了。

　　晚上，我們接受韓國服裝技術協會，釜山分會邀請，前往三五亭餐廳參加宴會，席間承蒙各位盛情招待，賓主相聚，至為歡忻！

　　在宴席上大家舉杯互相祝福兩國交誼永久攜手合作！接著，他們就各別的向我們敬酒，敬酒的方式，是先把自己的酒杯舉高乾杯，再將空杯送到被敬酒的對方，對方接過酒杯，給他倒酒，有沒有喝沒有關係，但至少要淺嚐一下，然後再還敬對方，這稱就算敬完了酒。

　　我們參加宴會的人，都不太會喝酒，席上招待的是韓國啤酒。在韓國，啤酒並非專賣，有公營，也有私營，普通啤酒，一瓶價值韓幣 650 元（折合新台幣為 52 元），但在餐廳一瓶要韓幣 800 元（新台幣 64 元）以上。

　　在賓主歡敘之中，我們談到服裝的工資問題，他們說：在釜山一條西褲的工資，大約在韓幣 8000 元（新台幣 640 元）左右，全套衣褲兩件，約韓幣 5 萬元（新台幣 4000 元），有背心的外加韓幣 1 萬元（新台幣 800 元）。

　　他們很想來我國觀光，並且也希望能有機會和我國同業互相連繫，以增進中韓兩國的兄弟情誼。不過，他們要來我國，必須要由我國的邀請者出具邀請書，才能獲得韓國政府的批准。

　　餐後，他們送我們回到飯店，在飯店裡稍事休息，我們

敬他們兩條台灣的長壽香煙。他們認為烟味香醇，品質很好。不過，他們表示，在韓國不可以在公共場所抽外國香烟，否則，要被處罰韓幣 50 萬元（新台幣 4 萬元的罰金）。

　　當他們離去之後，我們去逛夜市，在買水果時，遇到一位本省嘉義籍的同胞，在異地遇到了同鄉，倍感親切，他向我們問些家鄉的情形，並告訴我們在附近不遠，走過十字路口，有一條中國街那裡居住的人，大部分都是我國的華僑，所開的店舖，都是寫著中文招牌，我們前往參觀，果然在這條街上，看到我國的中文，聽到我國的言語，使人恍如有身在台北之感。

⑤返回首爾，觀賞名勝！

　　9 月 10 日早上 7 點 40 分，經旅社到達釜山公路車站，搭上釜山開往首爾（高速公路）的客車，7 點 50 分開車，途經釜山忠烈祠，過收費站，到達釜山與首爾之中點秋風嶺時，停車休息。我們乘此時間，下車活動一下，我特地約請張鎮先生上秋風嶺上之紀念牌拍照留念。10 點 40 分上車繼續駛往首爾，不久經過別緻的隧道又過一個隧道後，過錦江、鳥致院、清州、天水川又到並川、天安市、笠場川、京畿隧道、平天、烏山、水源、江陵、板橋、12 點 47 分到收費站後經過江南、永登浦、12 點 55 分到達首爾公路總站，下車後，轉往阿里郎飯店休息。

　　下午 2 點許，我們訪問團一行，前往首爾總統府後面的皇宮即景福宮，觀賞名勝。3 點從建春河進入皇宮，觀賞敬天寺 10 層石塔永濟橋、藝術院、學術院、勤政殿、千秋殿、

左上圖：在秋風嶺上呂寶霖與張鎮副院長合影紀念。
右上圖：呂寶霖在韓國的人參專賣人參海報前留影。
下　圖：訪問團全體人員遊覽首爾博物館留影。

左圖：呂寶霖在首爾景福宮內之敬天寺十層石塔前留影。

下圖：左起駐韓大使館參事。黃煥潭、胡福宗、張梅松、呂寶霖、藍清文等在駐韓大使館官員持待全體訪問團人員後留影紀念。

思政殿、修政殿、慶會樓。路旁種植有樹木花草，兩邊有柱豐石、長台石。我們逛遊妃子宮、新妃樓、韓國民俗博物館、國立中央博物院，參觀韓國的文物國寶。

我們在佛像館內，看到一尊巨大的佛像，額前有一粒紫色的水晶石，據說是韓國的特產寶石之一，很為名貴。

4 點 30 分，我們轉住韓國的人參專賣廳，購買韓國的名產人參。

6 點 10 分，我們到飲食店用餐，吃人參雞，味道鮮美，很不錯！我吃著想著，將來如有機會，一定帶太太來此，大吃一餐。

7 點許，返回阿里郎飯店休息，8 點打電話給徐商國先生託他帶些我所翻譯的日本洋服技術書給申榮哲社長。他約定明晨 8 點 30，前來飯店會晤。

⑥訪我駐韓使館，觀光 38 度線

9 月 11 日，早晨 8 點，徐商國院長前來飯店訪問，他帶來聘書發給我們，並順發美茂順的結業證書，託我轉交給他。徐商國院長因要去學院授課，不能在此耽擱。約我下午回飯店時，再打電話和他連絡，說完就匆匆走了！

我們 8 點 30 分下樓進餐，吃的日本式早點，用畢就離開飯店，前往我國駐韓大使館去拜訪我國駐韓官員。

上午 10 點，我們到達駐韓大使館，承蒙使館的一位參事接見我們，對我們此行訪韓，甚感欣慰！並且稱讚我們是國內服裝專家，希望我們回到國內，須多加協助服裝業日求進步，才能趕上時代前趨！晤談之後，並在 5F 會客室內和我

訪問團全體人員在韓國首爾，我駐韓大使館門前合影留念。

在韓國首爾我駐韓大使館隔壁，設有我國華僑學校。訪問團
全體人員在校舍內合影留念。

作者於板門店的石獅前留影

訪問團全體人員遊覽世界聞名的韓國板門店時合影留念

大韓服裝技術協會在首爾二鶴方招待我國服裝界訪問團全體人員，在宴會中李敦新理事長等多人親筆簽名贈於作者留念。

們合照。當我們下樓之後，又在大使館前攝影留念。

離開大使館，我們前往中央銀行地下街，逛商場買一點東西，走出商場，轉往區電莊餐廳吃烤肉。這裡烤肉很出名，生意特別好！我們吃過烤肉之後，就乘車到畢克山莊，在山莊內遊玩一番，又乘車去「38度線」，到臨津閣買一些紀念品，因為時間所限，不敢多留，大家就匆匆地趕回飯店，以便與徐商圈院長會晤。

我們回到飯店，已經是下午5點45分，徐商國院長和張鎮副院長早來這裡等候，我們談說一會，便應邀隨同他們前往大韓服裝技術協會去會宴。

⑦惜別首爾，飛往日本東京！

我們到大韓服裝技術協會拜訪李敦新理事長，及諸位理監事，稍坐片刻，即被邀往二鶴樓餐廳歡宴！

在餐廳我們受到熱烈歡迎，這份深厚友情，使我們畢生難忘！

宴會開始，首先由李敦新理事長致歡迎詞。他說：「諸位經很遠的台灣前來首爾，當時本人因在釜山，未能到機場迎接，很是抱歉！本人是首爾大學商學系畢業，能夠到服裝界來服務，並能和各位相識，感到非常榮幸！過去本人時常聽到父親李庸秀先生，談起台灣的繁榮，以及時常看到呂寶霖社長寄來的麗新服裝雜誌，知道台灣服裝界進步的情形，非常嚮往，同時對呂社長寄來的雜誌，也非常感謝」。

接著由我們訪問團的團長張梅松致謝詞。他說：這次到貴國來，受到諸位熱烈的招待，並且在釜山也承蒙當地諸位

友好款待的感情，深為感謝！今天在報紙上，我們獲悉貴國參加國際技能競賽，榮獲 22 面金牌，6 面銀牌，3 面銅牌，以及男女裝的冠軍，這是以表示貴國的服裝技術超群！今後，願請貴會也能組團前往我國並作技術性的指導，以增進彼此姊妹會深摯之情誼。謝謝各位！

在宴會之中，賓主暢談，大家都非常高興！臨到散會之時，互相惜別，都露出依依不捨的樣子！

這次離別，他們對我的印象很深，因為在 3 年之前，我曾經來過一次，當時是韓國與日本邀請我來講演服裝技術問題，故舊相逢，剛見面不久，又再握手道別了。

9 月 12 日，7 點起床，8 點半下樓吃早餐後，到新世界百貨公司買了一些東西，回到飯店已經 11 點多了。這時韓國服裝界的友人，已經在等候我們，準備一同往機場送行！特別是衣裳月刊社的申榮哲社長，在臨行之前，他約我在咖啡室晤談一陣，並談起麗新服裝雜誌和衣裳月刊雙方結盟姊妹社的事，並約定以後通信連絡。

12 點 28 分，大家一同到首爾機場，在一片互相祝福珍重聲中。我們乘機直飛日本去！

友　誼

技心一如 高丁杓

技術不息 韓鐘平

人若無敵 金錫昌

江深水陸長 徐商國

川流不息

服裝文化之文化外尺度
더욱成就外發展을新領指向으
轉中觀察 一九六九年九月十二日 金相伯

技術報國 一九七八年九月廿日 朴正男

技心一如 一九七八年九月十三日 文柄睿

항상기술의 발전을 빌니다 李瑛雨

學院의發展을 빌니다 一九七八年 九月十一日 李季新

出國記

　　我第 1 次（1975.10.29～11.19）出國是由韓國出具聘書聘我去韓國演講有關服裝技術問題。當時，當然我是不會說韓國的語言，因為韓國在第二次世界大戰以前，也和我們台灣一樣是日本的殖民地，當時叫做朝鮮，我們老一輩（約 1931年以前出世）的人都受過日本教育的人，所以，和我同年齡以上的人都會說以及聽懂日語，所以我是用日語演講後，由老一輩的韓國人再翻譯成韓語給年青的韓國人聽，演講後再去韓國各地觀光。順便去日本，當時日本有一位服裝學校的講師，他也聘我演講有關服裝技術問題給日本的服裝專家們聽後，再去日本各地去觀光，前後共 22 天。

　　第 2 次（1978.9.8～24）出國時也是由韓國出具聘書來叫我去韓國參觀第 24 屆國際技能競賽大會，順便瞭解國際技能競賽大會的情形。當時我的學生也是國際技能競賽大會女裝組的選手，他這次得著國際技能競賽的優勝獎。這次輪由韓國在釜山隆重舉行大會，參觀後再去韓國各地觀光，後來再轉去日本觀光，前後共 17 天。所以，第 1 次及第 2 次出國都是由韓國、日本出具聘書來才有機會出國。昔日，如果要出國，不是大企業家的負責人，就是公司的經理，或者參加中央級（內政部）的人民團體之理監事，所以不容易出國的。

政府是於 1987 年 11 月才開放民眾自由出國觀光。所以我第
3 次起是向政府申請出國觀光的。

第 3 次（1990.2.16～27）是台北市縫紉業職業工會招待
幹部及會務人員（他們是輪班）去泰國、泰國之皇宮、鱷魚
動物園、海洋公園、廟宇、小人國、象園、金佛及訪問新加
坡雅式裁剪學院跟麗新男女服裝補習班結為姊妹校、新加坡
忠貞碑、馬來西亞國家紀念碑、藝大畫廊，並偷偷去印尼（因
當時未與我國建交）、香港海洋公園、瀝源橋、河畔花園、
啟德機場等。當時跟我太太、二女兒、大姊及她的二媳婦去
12 天。

第 4 次（1990.6.17～25）也是工會招待幹部及會務人員
去香港九龍、萬壽亭、長壽橋後、去參加香港西服縫造業自
由工會成立 35 週年暨第 25 屆職員就業典禮後，去大陸之 72
烈士之基、萬德莊嚴公園、古琴台、黃鶴樓公園、宜昌、武
昌、南湖賓館、運河、紺宇凌霄、四川市之石寶寨、望江樓
公園、少陵草堂、東方賓館、重慶之博物館、鐵橋、四川恐
龍陳列館、重慶長江大橋、成都、漢照烈之陵等，當時跟太
太及好友劉錫均去 9 天。

第 5 次（1992.6.18～29）也是工會招待幹部及會務人員
去參加香港西服縫造業自由工會成立 37 週年暨第 26 屆職員
就業典禮後，去香港、大陸各地觀光是跟太太去 12 天。

第 6 次（1992.9.6～16）是由政府勞工委員會招待當選
1992 年度全國模範勞工，代表國家出席全國模範勞工去訪問
日本東北亞，由九州之福岡、關門大橋、秋芳洞、長崎、熊
本、阿蘇山、別府、高松、瀨戶大橋、岡山、姬路城、大阪、

奈良、京都、濱名湖、向絲瀧、河口湖、富士山、箱根、東京、千葉、迪斯奈樂園等，日本各地建設與進步情形去 11 天。起初，政府還規劃自 9 月 3 日起順便招待去韓國 3 天，因當時韓國剛跟大陸建交不久，政府就放牵招待去韓國而僅招待去日本而已。

　　第 7 次（1993.6.6～21）也是工會招待幹部去美西、夏威夷、舊金山及日本等跟太太去 16 天。

　　第 8 次（1997.6.23～7.2）也是工會招待幹部去意大利之羅馬、阿姆斯特丹、米蘭、維諾娜、威尼斯、比薩、佛羅倫斯、阿西西、羅馬之龐貝、蘇倫多、卡不里、拿坡里、羅馬之梵諦岡、香港等跟太太去 10 天。

　　第 9 次（1998.6.22～28）也是工會招待幹部去日本，由大阪海上關西機場搭乘豪華郵輪夜宿船上經瀨戶內海前往九州新門司港，福岡、關門大橋、鐘乳石洞、秋芳洞、赤間神宮、春帆樓、日清談和紀念館（馬關條約）、長崎之平和公園、祈福銅像、原子彈爆炸展示館、荷蘭村、豪斯登堡、洪冰來襲館、大航海體驗館、宇宙帆船館、親身體驗劇場、宮崎海洋巨蛋、宮崎神宮（神武天皇神宮）、平和台公園、東京市區、鐵塔、淺草觀音寺、皇宮、狄斯奈樂園等跟太太去 7 天。

　　第 10 次（1998.7.11～16）是我參加馬來西亞舉辦之第 17 屆亞洲西服業者聯盟大會，順便觀光馬來西亞之市區、皇宮、雲頂高原、雲頂纜車等去 6 天。

　　第 11 次（1999.6.17～28）也是工會招待幹部去美東各地觀光，是跟太太去 12 天。

第 12 次（2000.5.12～21）是我參加台灣基督長老教會松年大學雙連分校大學部畢業旅行。由奧地利之維也納、熊布朗皇宮、御花園、賀福堡宮、國立歌劇院、貝維第爾宮、國會、市政廳、鹽礦、鹽湖、霍斯遠小鎮、高薩湖、莎茲瑪古湖、屋頂石萬年冰洞內奇幻景像、莎茲堡觀光、米拉貝爾花園、大鐘山、帕斯特冰河、德國之韋柏、新天鵝堡、史坦堡、慕尼黑、瑪利恩廣場、市政廳、羅登堡、雅各教堂、布格花園、海德堡、萊茵河遊船、蘆荻哈姆、威斯巴登、法蘭克福等觀光 10 天。

第 13 次（2000.6.16～20）也是工會招待幹部去新加坡之世貿中心乘坐空中纜車去聖陶沙島、亞洲文化村、飛禽公園、虎豹別墅、新加坡市區觀光、魚尾獅頭噴泉、伊莉莎公園、國會大廈、高等法院、政府大廈、新山、新柔長堤、麻坡橋、墨水鎮、馬來村、麻六甲、葡萄牙堡、鐘閣街、吉隆坡、湖濱公園博物館、雲頂渡假中心、印度黑風洞、里布染廠、錫器工廠等跟太太去 5 天。

第 14 次（2001.4.20～25）是太太自己參加台灣基督長老教會松年大學雙連分校大學部畢業旅行。由日本之東京附近的山內名勝古蹟之觀光區並泡湯。

第 15 次（2001.6.21～19）也是工會招待幹部去大陸江南旅遊。由澳門轉飛機去寧波、天一閣、亞塘古鎮、上海之預園、城隍廟、外灘、玉佛等、無錫之錫惠公園、紫砂臺博物館、楊州之瘦西湖、南京之夫子廟、中山陵、玄武湖、珍珠館、鎮江之金山寺、蘇州之觀前街、寒山寺、虎丘、留園、杭州之岳王廟、遊西湖、靈隱寺、龍片茶莊、武林廣場、紹

興之禹陵、蘭亭等跟太太去 8 天。

　　第 16 次（2001.7.7～11）是兒子（建勳）跟媳婦（鄭尤真）招待我們去馬來西亞之沙吧玩海灘跟太太去 5 天。

　　第 17 次（2002.5.13～18）也是工會招待幹部去泰國、菲律賓之馬呢拉觀光，跟太太去 6 天。

　　第 18 次（2002.8.11～16）是我參加韓國舉辦之第 19 屆亞洲西服業者聯盟大會及觀光韓國動物園、迪士耐、皇宮等共 6 天。

　　第 19 次（2002.9.5～12）是烈山五姓宗親會去海南島參加第八屆世界烈山宗親暨第十五屆亞洲烈山五姓宗親聯合懇親大會，並觀光海南島各地是跟太太去 8 天。

　　第 20 次（2002.9.25～27）也是工會招待幹部乘坐麗星郵輪去日本的石垣島跟太太去 3 天。

　　第 21 次（2003.12.11～17）是我個人參加台北市呂姓宗親會去馬來西亞參加馬來西亞呂氏公會慶祝成立 65 週年紀念暨第 1 屆世界呂氏族人懇親大會後，並參觀馬來西亞河東堂及市區、皇宮、普陀寺與泰國大佛寺、鶴山觀音聖像、海灘等去 7 天。

　　第 22 次（2006.5.19～26）是台北市呂姓宗親會去新加坡參加第 2 屆世界呂氏族人懇親大會後，參觀呂氏公會、獅頭魚尾公園、聖陶沙、動物園、煙火、馬來西亞新議會、市區、染布廠等跟太太去 8 天。

　　第 23 次（2008.5.6～13）是台北市呂姓宗親會組團去泰國、泰化（清邁・清萊）等觀光跟太太去 8 天。

　　第 24 次（2013.6.3～10）是全國呂姓宗親會總會組團去

中國大陸最北的黑龍江省，由哈爾濱、漠河、北極林塔河、黑河市、五大連池、齊齊等觀光跟太太去 8 天。

　　附註：到第 24 次為止我出國有 23 次，前後共 216 天，太太出國 17 次共 144 天。

各國贈錦旗歷

　　我自 1972 年參加人民團體後，陸續獲得各國贈予小錦旗的紀錄如下：

　　1.中華民國台北縣私立真光教養院（教養醫護）惠及孤殘　1 面

　　2.台北縣私立佳昇仁愛之家（老吾老以及人之老、幼吾幼以及人之幼）　1 面

　　3.台北市青溪新文藝學會林靜助理事長榮譽狀　3 面

　　4.花蓮縣縫紉業職業工會　1 面

　　5.桃園縣中壢、平鎮區許姓宗親會　1 面

　　6.世界呂氏宗親總會　4 面

　　7.馬來西亞雪蘭莪州及吉隆波敦宗睦族許氏宗親會　1 面

　　8.台北市呂姓宗親會　1 面

　　9.菲律濱烈山五姓聯宗總會　1 面

　　10.金穗綠紀神農烈山五姓世其昌

　　高雄宗親定徽獻台北棕誌會籍綠

　　台北市高姓宗親會第 11 屆理監事會　2 面

　　11.烈山宗親永世衍、渭水營丘敦親睦族高雄縣大社鄉保舍甲呂姓族親聯誼會總聯絡人呂正鐘全體族親同贈　1 面

　　1974.7.16　台灣縫紉業職業工會聯合會主辦中日親善西服技術交流研究會

　　1974.9.25　全國第二屆國際服裝技術交流研究會主辦中華民國服裝設計學會陳瑞生理事長兼會長　2面

　　1974.11.18～23　中華民國服裝設計學會國際技能競賽中華民國委員會兼西服陳瑞生裁判長　1面

　　1975　中華民國服裝設計學會訪問團（韓國）　3面

　　1978.8.4　第29屆夏期紳士服短大講座大韓服裝學院主辦徐商國院長　2面

　　1978.9.6～9　第24屆國際技能競賽韓國釜山競　4面4種

　　1978.9.11　板門店觀光紀念（韓國）　1面

　　1979　日中洋服技術交流發表會主辦日本洋服專門學校10面

　　1980.1.16　台北縣西服商業同業公會　1面

　　1981　亞洲西服業者聯盟中華民國總會第9屆（AFMT）1面

　　1983　韓國主辦（三國）　7面

　　1984.2.24～25　第35屆春期紳士服短大講座大韓服裝學院主辦徐商國院長　3面

　　1986　台北烈山五姓宗親懇親大會第六屆亞太地區　1面

　　1994　馬來西亞檳城州呂氏公會促進宗誼　1面

　　1996　世界烈山五姓宗親第五屆
　　　　　亞洲烈山五姓宗親第12屆　聯合
　　懇親大會紀念台北市五姓宗親總會許欽琳理事長　1面

　　1996.7.10　參加世界許氏宗親會第八屆懇親大會紀念

宗誼敦睦馬來西亞檳城州烈山五姓宗親會　1 面

　　1999.4.16　亞洲西服業者聯盟中華民國總會第 11 屆第 1
次會員大會紀念　1 面

　　2002.8.11～16　第 19 屆亞細亞首爾洋服聯盟總會主辦
韓國首爾洋服技術協會　1 面

　　2002.9.6～8　世界烈山五姓宗親第 8 屆
　　　　　　　　亞洲烈山五姓宗親第 15 屆　　聯合

　　懇親大會紀念台北市呂姓宗親會呂水戰理事長於海口市
1 面

　　2003.12.11～12　兩岸房地產事務研討會
　　　　　　　台北市房地產經營者協會
　　主辦
　　　　　　　上海房地產交易中心　2 面

　　2003.12.13～15　世界呂氏族人懇親大會紀念
　　　　　　　馬來西亞呂氏公會
　　主辦
　　　　　　　台北市呂姓宗親會呂水戰理事長於檳城　1 面

　　2004　第 9 屆世界暨亞洲第 16 屆烈山五姓宗親懇親大會
於台北　1 面

　　2004.7.10～11　民俗藝文農牧場育樂營暨親子繪畫比
賽紀念中國文藝協會、新文藝學會　4 面

　　2004.10.8　第 9 屆世界烈山五姓宗親
　　　　　　　第 16 屆亞洲烈山五姓宗親　　聯合

　　懇親大會各宗親團體惠存新加坡烈山五姓懇親團：高氏
公會、許氏總會、呂氏公會　1 面

　　2006.5.19～21　第 2 屆世界呂氏族人懇親大會紀念主辦
新加坡呂氏公會、台北市呂姓宗親會呂水戰理事長　2 面

2006.5　世界呂族新加坡懇親大會獅城歡盛呂族慶輝煌中國南安市衢門呂氏宗親代表團　1面

2012.10.13～15　世界呂氏宗親總會主辦第 5 屆世界呂氏族人懇親大會紀念台北市呂姓宗親會呂理偕理事長　1面

2012.10.13～15　世界呂氏宗親總會主辦第 5 屆世界呂氏族人懇親大會紀念新竹市呂姓宗親會呂永祥理事長　1面

2013 年 10 月 20 日作者與夫人在北投溫泉博物館合影留念

1982 年 2 月 24 日大女兒呂佳珍結婚時，
作者夫婦二人婚宴現場合影留念。

在這世上我最懷念的人

　　雖然今生今世令我懷念的人、事、物等有很多很多說不完，而且要感謝與感恩的人非常的多。但是在我生命中，特別令我永遠懷念與感謝的，以及最感激與感恩的親人有三位女性及二位男性。女性是我的母親、大嫂、以及太太三人，男性是大哥、岳父等二人。

此照片是我於 1967 年第二次受台北市延平北路二段 162 號，建美服裝號老闆張依堅之邀請再來擔任裁剪師時，委託台北市重慶北路二段 95 號之 jdo 牌老闆，提供當時家母在世時與家父、家兄、家姊在台南市白河區白河公園拍攝的退色照片所畫之工資 300 元。

　　第一人者は私の母上です。母上（呂白甘，1904.4.13～1938-1.20，壽命は 34 才）は體質が弱く長い間病氣で私が 7 才の時に亡くなられましたが、その為私は幼い時に母上を失い、私は母愛と云う事は何物であるかがわからない環境で成長し、せめて母上にだけ生きていて貰いたかつたのです、母上を思いだすとその胸で甘えてみたいのです。亡くなつた母上を思い出

さずにはいられなかつた。あらためて生きていてほしかつたと痛切に思い、胸が一杯になります。それでも、私はやはり私を生む時の過程の境遇を我慢して、非常に苦痛と苦勞した事に耐えた事に感謝します。なほ、私が此の世に來られれた為に生みました事をやはり感謝します。その上、私が幼い時に注意を払つて下さいまして健康に生きて成長した事も感謝します。私はよく生きて役に立つ人間とし、そして義理をよく守つて光明正大な生活をし、母上の恩は永遠に忘れず、深く心の底に隠します。母上の事を思うと私の心は甚だ辛く，人の子として今迄少しも孝行を盡く事が出來ない私は今後悔するだけです。親孝行をしたいと思う時には親は死んでしまつてもう此の世にはいません、お母さん，私は今日まで活きて來ました、昨年の誕生日に満80才の傘壽になります。今母上が生きていてくれたら、少しは親孝行が出來るのですが、孝行のしたい時に母上はなしです。子養わんと欲すれど、親待たずや。最後にいつもなれた歌を紀念とし。その歌を此處に記入します。第一節は：お乳を飲んだ膝の上、仄かな夢のあの日から、こんなに大きくなりました、僕の私しの大好きな、母樣優しいお母樣。第2節は：真心込めて育てられ、うんと肥った彼の日から、こんなに丈夫になりました。僕の私しの大好きな、母樣優しいお母樣。第3節は：強い日本の兵隊さん、銃後を守る私し達、皆なは母の子供です、僕の私しの大好きな、母樣偉いお母樣。

　　第一位是母親，母親（呂白甘，1904.4.13～1938.1.20，

享年 34 歲）因體弱久病在我七歲時就去世，因為我自幼小的年紀就失去母親，所以我不知母愛為何物的環境中長大，至少，很希望母親至今還活著，想起母親時很希望能在母親胸前撒撒嬌，不能，不想起母親的不在，重新很希望母親還活著，而深感痛苦致心裡就難過，儘管如此，我還是感謝她要忍受生我時的過程，所遭遇的痛苦與辛勞，並感謝她把我生下來讓我有機會來這世上，更感謝她將我幼時照顧我長大而健康的活著。我應該好好地活著作為一位在這世上有用之人，並遵守義理過著光明正大的生活，母親的恩情我永誌難忘，都會深深隱藏於心底。一想起母親，心中就難過，為人之子迄今沒有機會做到一絲孝順的我，如今只有悔恨罷了。想奉養母親時，往往母親卻不在人世了。媽！我至今還活著，舊年的生日已經滿 80 歲的傘壽之年了。如果母親至今尚健在的話，便可聊表寸草心，可惜子欲養而親不待矣！最後以最熟悉的日本歌曲想寫在這裡順便紀念我的母親，第一節是：自從喝了奶在膝上，模糊的夢想日起變成如此長大後，我自私最喜歡的，母親慈祥的母親。第二節是：真心撫養而成長，大大地成肥胖後，變成又如此壯健，我自私最喜歡的，母親慈祥的母親。第三節是：有勁強壯（原文是日本）的軍隊，保護後方的我們，全是母親的小孩，我自私最喜歡的，母親偉大的母親。

　　附註：家母在世時，沒有姊妹，但上有二位結拜的姊姊。在我懂事以來，沒有看到大姨丈，但大姨有一位養子，少我二、三歲，我來台北後不久養子也來台北謀生，不過沒有幾年就回故鄉白河在酒家服務不久，因飲酒過多而往生，養子

往生後大姨就去台中投靠她的姪兒，以後就失去聯絡了。大姨對我們倆小兄弟很照顧，時常碰到繼母時就會跟她吵架，她說：後母大部分都會苦毒前人子，有我給你們靠，所以你們不要怕她，所以我至今也是很思念她。二姨夫婦及大兒子周明川夫婦在白河市場內開設餐飲攤，二子周明玉夫婦及四子周明火（和我同年，但比我小）務農兼在白河市場內賣菜，三子周明山在白河魚市就職服務，五女周明雲，因我們在國校時也住在二姨家附近，當時的地方叫做田中央，又我們跟三子、四子、五女年紀較相近，所以時常一起迌迌或玩尪仔標，他們現在變成如何？幼時種種的事物與經過，實在值得懷念與回憶！

再者，家母的靈骨本來葬在往關子嶺路白河出莊的白河公墓，後來公墓改為公園後，遷來台北市，現在寄奉在陽明第一公墓的靈骨塔地下 1 樓 4 排 1 層 5 號。

第二位是大嫂，大嫂（陳玉珍，1924.9.20～1949.1.2，享年 25 歲）是大哥在白河往關子嶺的康樂街之西裝店當西裝縫製師時，在對面的白水亭酒家帶回來的前妻。她是經過大哥之同事們介紹而認識的。據說當時的服裝業只有手指掛上服裝用的戒指在酒家出入的人氣就比較好，同時大哥的同事向大嫂說：他的人是很古意且很內向，但是做起事是很認真，大嫂聽後才嫁給大哥。大嫂雖然是一位酒家女，適逢第二次世界大戰期間，在戰亂時期物資非常匱乏，民間的一切生活很艱苦。當時我十二、三歲（小學六年級），因我與三弟（黃寶榮，1934.5.6～2007.9.9，享年 63 歲）和繼母相處不好，

這張照片，是我猜想在大嫂嫁給大哥前，在酒家拍攝的，當時她的年紀約在20歲上下。

常住在大哥家，受大哥夫妻倆的照顧，大嫂也不會因多了我與三弟二人的生活負擔，而厭煩我倆小兄弟，反而更加勤奮常幫大哥出去做工或做小生意，來貼補生活開銷，她知道我倆小兄弟自幼就沒有慈母的照顧，常受繼母的虐待而需要母愛。她對我們如自己的孩子一般教導我們、愛護我們。雖然我們與她相處大約三年或四年之久而已，但在我的感覺上好像經過了 30 年或 40 年那樣的長久之事。她在 1949 年因子宮癌病而過往去世，時僅 25 歲而已。她過往時大哥的家住在新營市，當時我在白河昭文堂鐘錶店當學徒，致使我未能參加她的葬禮，但是家父和三弟有去參加。後來我才知道她的遺骨寄奉在台南市新營區的興隆寺之靈骨塔，塔位是 685 號。我本來想將大嫂的靈骨遷來台北市陽明第一公墓靈骨塔，跟家父、家母同一起才有機會為她們祭祀，然而她的靈骨寄在南部要祭祀她較為不方便。但是台北市中山區農安街 277 號 2F 之 1 號（25052727，25052828）永生禮儀公司之服務員之建議，一切交給上主的安排處理就好，所以我就打消將大嫂的靈骨遷來台北市的念頭。因此，使我至今常常掛念於心，因為她過往後我最近要編輯一本族譜才知道她在 25 歲就往生，可以說她僅大我七歲而已。沒想到上天不公平，竟然她

有這樣的遭遇，天理何在？可見得老天也不見得有眼，也不見得能明察秋毫！把她那麼好的人又這麼年青就奪走了她的人，為甚麼不給她多活幾年，在我的心目中，她是一位偉大的女性。婦德這樣好的女性，年紀輕輕的就奪走她的生命？俗語說得好，養育之恩重於生育之恩，並非不感謝生育之恩，而是強調養育之恩更深。誠如所言，我從來沒有一天忘記養我的大嫂，大哥的前妻（生みの親より育ての親と申し、育ての親は一日として忘れたことはない）。

陳秀月於 2006.3.15 攝

第三位是太太，我的太太（陳秀月，1934.4.3 生）是我最懷念及最感激與應感恩的五位中，至今還和我生活在一起的唯一親人。我倆是經親友（駱換宗）介紹而認識二年後，在我 27 歲多（虛歲 28 歲）於 1958.4.16（這日是農曆 2 月 28 日，紀念我的母親之生日）時結婚，當時可以算是晚婚。因為我們的結婚，是等到我自己有能力負擔一切費用（無論訂婚應備辦的禮品與結婚迎親請客等，我記得請客時在白河市場內辦 38 桌及台北市歸綏街 8 桌等）時才舉行。結婚時在白河基督長老教會由賴仁聲牧師證婚而親友的黃鎮山夫妻，為我們擔任伴婚，並很多親戚好友之外，還有白河與新營教會的會友與青年團契（TKC）的兄姊，均為我們倆吟詩祝福。當時迎娶新娘時，還租用七輛的禮車及一輛的樂隊共有八輛。當時在白河故鄉的有錢人家

結婚團體照

結婚時，都沒有這樣排場過。結婚半年後我們籌足一點資本而自營創業開「麗新男女高級時裝社」。翌年長女（呂佳珍，1959.3.7 生）出世一年半後，長子（呂佶暾，1960.9.29～1963.5.13）相繼誕生。長子誕生不到半年後，因發育不錯，卻和人家流行著小兒痲痺症。但是，他所患的小兒痲痺病不是和一般人一樣，僅患一腳或一手而已，他是患全身的痲痺，連頭都不掛在脖子上一樣，時常會俯下來。為了照顧他的病情這段期間，太太是最忙碌、最辛苦的人。她幾乎寸步不離的守在大兒子的床邊，有時候還要抽她的血輸給兒子，為了兒子的病情疲於奔命，聽說哪裡有好醫生就往哪裡去，無論東西南北有人說有名醫、有秘方，她都不會放棄機會，無論花了多少時間或金錢，她都願意為兒子尋找名醫或秘方，甚至為了兒子的病情，我們曾計畫去日本尋醫求藥，一心為兒子奔走，我們抱著很大的希望出現奇蹟。但是天不從人願或是大病無藥醫，終於他在 1963 年的孟夏四歲（1960.9.29～1963.5.13，實際僅二年八個月而已）時離開我們。讓我們長期處於非常自責與悲傷的光景。為了長子的病情，我們背負了很多的債務與精神。白手起家的我們常常過著入不敷出的日子，以岳父經手借錢出來過生活成了家常便飯。幸好太太的堅強意志與努力幫忙，於數年後還了所有債務後，並前後陸續買了三處的不動產，其中一處在台北火車站前的黃金地段（台北火車站向東移動 100 公尺處改地下後，這處的不動產未受拆掉），地點是在忠孝西路一段 41 號 3F 之 4（跟天成大飯店同棟），因此，這處的不動產之升值較好。不幸在 1983 年左右受朋友（大部分是倒會仔）與兄弟的施累，因當

時服裝業漸漸沒落而影響服裝補習班的生意，每日為朋友與兄弟的債務而跑三點半（湊錢納利息）而焦煩是常事，兄弟當困難時，家內有多少錢就借給多少錢，甚至偷偷將孩子們的存金簿所儉的錢全部領出來借給他們，因此，差一點孩子們不能聽話而難於管教。幸好太太能體諒與鼓勵孩子們才平靜下來。我們將錢借給他們的期間每次碰到我們時，都會說阿二長阿二短或說阿二做人真好，他們不知我們的錢從哪裏來，我們除將上述的錢之內路外，向人家借錢或將不動產拿去向銀行抵押借錢，或向保險公司將保單辦貸款借給他們，結果他們沒有按時照銀行的利息納利息後，我們就湊錢去替他們納利息，可以說我們是借母錢來納利息，後來利息愈繳愈多而不能收拾，致使我們終於 1988 年 7 月 25 日將忠孝西路靠近火車站的房子賣掉替他們返債還不夠，現在只剩下重慶北路 2 段 235-1 號 3～4F（現住址）與故鄉下營百坪土地全部自建平階房屋等各一處而已。這樣不但他們不知好壞，從此失去了兄弟情而不常來往，只有默默怨嘆在心底。受他們拖累後的幾年中，我們雖然不愁住宿的問題，但是太太為了三餐或債務與生活之開銷，而不惜昔日是服裝店的老闆或補習班的老師之身分，而向人家拿回加工之衣料回來在家縫製，賺淡薄的錢回來養家，有時在抽屜角落尋找銅錢，湊足幾十元錢去買幾斤米與幾塊的豆腐乳回來。這時使我體會到：笑一分錢者為一分錢哭，或一文錢也能逼死英雄漢（一錢を笑う者は一錢に泣く）的真理。想起那時的情景，喉管就會漲起來。在這段期間太太的頭髮本來只有一點灰白而已，後來因焦煩與操勞過度而不久，如昔時中國大陸有一位

從楚國要逃到吳國，是為了出國而出關之伍子胥的頭髮與嘴鬚一夜之間變白色一樣，全部變成銀白色。有一天，朋友來訪時看到她就說：為何最近妳的頭髮會變得這麼白？她說：人沒有變成瘋人，算是很萬幸的事，管它頭髮變白不白？後來無論認識與不認識的人，碰到她時就會說：妳的頭髮好漂亮哦！是不是有去染顏色（白色），實際上她的頭髮到目前為止，從來沒有染過顏色。是自然的白色，黑髮雖然亮麗，白髮更具魅力。雖然頭髮是白色（老人的專利色），但是，唯一讓她覺得安慰的，是她的臉頰皮膚還是不輸給年青人一樣亮麗，所以有時還會跟人家開玩笑的說：妳們只讚美我的頭髮美麗，難道我的人沒有漂亮嗎？她常常跟人家說：老天爺還很公平，我的頭髮雖然變得如老人的白色，但是我的臉頰至今沒有黑斑或雀斑，皮膚還是很嫩很亮麗且有彈性。有時候還會開玩笑說我頭髮會白，因為妳們的頭髮不會白，就是洗得不乾淨所致，所以妳們每天一定要洗十數次才會白（清潔）！因我與太太結婚後，為家庭、為生活、為撫養孩子，我倆同甘共苦、相互扶持，共同勉勵一路走來，實在是很辛苦很打拼。我不知如何來感謝她？我能活到今天，除每日感謝上主的保佑外，也感謝太太的細心照顧與功勞也很大。例如我在路上靠右行走時，她自然的走在我的左側牽我的左手行走，我如果在左側的路上時，她隨時跑來我的右側牽我的右手行走，怕我被車子撞倒。而且她飲食與起居也是很注意，如我們的媳婦（鄭尤真）開玩笑的建議婆婆（我的太太）如果在樓下附近租一間店舖來開餐飲店，生意必定很好。雖然夫妻有時候會為著小事而爭執，但是我會體諒而讓太太不跟

她計較。並且我們夫妻倆於 2013 年 6 月 3 日至 10 日去中國大陸最北的黑龍江省觀光時，於 8 日下午將行李提至飯店的台階時不小心「腰骨閃著」，致使變成骨質疏鬆而一切家事落在太太一人在處理一切。我於今年（2014 年）2 月 27 日（陰曆年內）下午 4 點左右覺得呼吸困難而到馬偕醫院看急診並住院至 2 月 30 日（陰曆 12 月 30 日，剛好年內）而退院。又今年的 3 月 14 日 12 點 30 分乘坐公車而要下車時不小心跌倒，致使不能走路隨時用救護車至馬偕看急診，我的起居一切生活都是她一人在照顧，她對我並無一句的怨言，我實在對不起她，我真擔心她的健康，我只有在心裏暗中期求我們的求主耶穌基督的恩惠時常與她同在，照顧她的身體健康，事事如意，並希望子女們能合作並永遠孝順她，照顧她直到永遠。現在子女們均已長大成人，並結婚生子，唯一我們遺憾的事，就是三女至今尚未結婚，是否緣份未到？或沒有姻緣？但是一切苦難將成為過去。時間是治療創傷的良藥（時はいかに強い悲しみをいやす —— Time tames the strongest grief），無論感覺是多漫長的一日，也一定會過去。即無論是多麼痛苦的事，終究會結束。如冬天一到，接著要來的春天，就距離不遠了（冬來たりなば春遠からじ —— If winter comes. can spring be for behind?），苦難之後，就已經接近具有光明希望的時刻了。

第四位是大哥，大哥（黃寶輝，1922.1.11～1979.10.18，享年 58 歲），是一位很內向且非常寡言的人，他的個性是無話無句，認識他的人都知道，如果碰到大哥時一定要先向大

哥打招呼問好，不然要等到大哥先向你開口問好，那是天下一大事。不是他驕傲或傲慢，他是很少自己先開口說話的人，大家都說他是很古意、很老實的人，對人沒有心機沒有意見的人，但是，他做起事來是很認真、很誠實又很踏實、很有責任感的人，對任何事情都很全心、很正經。他在工作是照起工做不會偷工減料，可以說他的工夫很好，他的技術也很不錯，但是他的手藝與手工不大好，成品後的衣服都是不會美（水），沒有「銳角」，雖然他的手藝與手工無好，但是他的技術與工夫很好，所以我今天有縫製服裝的技術與工夫是他教的，當然還有一位教我服裝技術的師傅（林連代），我學習縫製服裝的年齡已經 19 歲多，昔時在這個年紀要學習手藝是晚一點，大部分都是從國校畢業後就去做學徒。但是，我也是從西裝學徒開始學習起，不過我的服裝學徒生活，前後共一年半我就將男裝的技術與工夫，無論縫製或裁剪全部學習完而會，而且，經過二位師傅的指導，我不是走師（落跑），因為我很幸運遇到第一位的服裝師傅是家兄，所以經大哥悉心認真教導之下，我在半年內就縫製過二件西裝。昔時的學徒，沒有經過二年半或三年左右後，是不可能學習到縫製西裝。當然也學習過其他的服裝，如褲子、背心、馬褲、襯衫、青年裝、夾克，甚至內衫褲類等，西裝以外的服裝。後來家兄的朋友來找家兄聊天時，看我半年就會做西裝，就建議我去他的店舖幫忙並深造。經家兄跟他約束要在一年內，教導我所有男裝的技術而許我出師，昔時的學徒要師傅同意，否則需經過三年另四個月後才能以自由身離開店。所以大哥和大嫂一樣，對我來說有養育之恩外，並傳授給我生

活技能的手藝，昔時的師匠們都很甕肚，不隨便將技術與秘訣傳授給人家的。我一生吃的、穿的、以及購置不動產與著作有關服裝書，都是靠這個縫製服裝的手藝。所以我心裡非常感謝大哥的恩情。大哥於 1979 年 10 月 18 日患肺勞病去世。當時我 49 歲，自覺身體又不甚好，自問我能再活九年或十年活到像大哥那樣到 58 歲嗎？想不到我舊年的生日時，已經滿 80 歲的傘壽之年，至今還在人間。除了每天感謝上主的照顧與賜福之外，常常思念著大哥、大嫂夫妻倆過去的恩情。兄恩比山高，兄嫂恩比海深（兄の恩は山よりも高く、兄嫁の恩は海よりも深し）。這是我常常記在心裡的名言。

　　附註：記得 1958 年 8 月 16 日起我時僅 24 歲就擔任當時在台北大稻埕（今為延平北路二段）一帶算是一流的女服裝店為裁剪師，在經濟上比較好一點而且穩定後，不知經過多久，家兄也自故鄉來台北謀生求發展，但是家兄的運氣不好而找不到適合的工作。當時他的一切生活費用都由我接濟，有一次他患了感冒並有初期的肺勞病，他是無話無句的人，如店裡的 Madam（老闆娘）說，他每次來店裡時，恬恬來你就恬恬帶他出去不知去那裡，後來我對她說，是帶他去看醫生或照 X 光，不但如此，有時我會拿錢叫他寄回去故鄉作為妻子的生活費。但是有一次我回去故鄉時，阿嫂（大哥的後妻）對我不諒解與不滿，又說我對兄弟無情，使大哥在台北「漠漠酬」也不會幫助他，其實他的手藝與手工無好，不隨便能找到合適他的工作，使我一時不知如何回答她，只有難過在心裡（他的靈骨寄奉在新北市三重區觀音山的觀音寺塔裏）。

　　第五位是岳父（陳清涼，1906.8.28～1979.3.1，享年 74歲），岳父是一位高大且豪爽的人，認識他的人都稱呼他為蹩腳貢仔，而我是一位和他相反的矮小之人。但是，岳父從來不曾嫌棄我，不會看輕我，反而常常在外人面前誇讚我是一位五短格的人，將來不會輸給別人，一定是會有成就的人。而且我的長子出世半年後，患了全身小兒痲痺症後，直到孩子過往為止，因岳父家是開西藥房，所以岳父懂得一點醫學常識，常常在百忙中來看孩子，替孩子打針敷藥，很關心孩子的病情。在這段期間太太最忙碌與辛苦之外，岳父也是最忙碌又辛苦的人。而且在經濟上都是他老人家替我們籌措的，不但如此，在我的事業最困難的時候，都是他伸手幫助或建議我要怎麼做、怎麼解決，並替我處理困難問題。岳父育有一男二女，說實在的，岳父最疼我們夫妻倆，我還記得1979 年岳父心臟病過世時（他的遺骨放在台南市新營區東山路 80 號興隆禪寺的靈骨塔，塔位是 638-1 號），經過數天後我從台北趕回南部殯儀館看他時，忽然間大家看到他的鼻腔流血，大家都稱奇的說：二姑丈還沒回來時沒有甚麼異狀，一回來鼻腔就流血，一定還沒見到二姑丈的人是死不瞑目。可見岳父是多麼愛我們。我現在想到這個情景時，鼻頭還會感覺酸酸的。岳父離世後，留給我們無盡的思念與回憶。岳父不在世時，我是好像失去一雙手臂一樣，從此之後，一切都要靠自己，沒有地方可以去詢問請教或倚靠。從此之後只有抱著「謀事在人，成事在天」了（計劃は人にあり、成敗は天にあり —— man proposes; God drsposes.）。

　　以上我所說的五位，有我一生中還不完的人情與恩情，俗語說如欠了一世情。現在僅剩下太太在身邊，我現在應珍惜外，在我心目中，除了大哥的前妻大嫂以外，她也是一位偉大的女性，也是我常常自豪的女性。其餘都已離我而去，只有期待日後在天國裏碰到他（她）們時，要好好的感謝他（她）們，願上主的恩典永遠和他（她）們同在，並祝福他（她）們。

　　今天我寫這些事情後，深深體會到日本有句美國詩人 Walt Whitman（1819～1892）說；寒さにふるえた者ほど、太陽をあたたかく感じる。人生の腦みをくぐつた者ほど、生命の尊さを知る（愈被嚴寒凍過冷的人，才能感覺到太陽的暖和，愈被人生折磨過的人，才能知道生命的寶貴處）。

作者與妻子合影

呂寶霖和陳秀月結婚 50 週年紀念暨全家福。

我的讀書過程

　　白河於 1898 年（明治 31 年）7 月間，在清代之鹽館舊址，本地首設「嘉義國語」（日本語）傳習所店仔口分教地」：此為「店仔口公學校」的前身。是年 10 月 1 日藉福安宮之廟室為校舍，成立店仔口公學校，後來獨立為「白河公學校」。修業六年，第一任的校長是池田次郎，任期是 1898.10.1～1900.2.2，至第十任的校長押川貞藏，任期是 1920.10.5～1924.4.9，於 1922 年（大正 11 年）4 月 1 日增設高等科，修業二年，至今分別為 110 年及 86 年之悠久歷史。於 1916 年（大正 5 年）4 月 1 日，日人為其子弟就學方便，於本地設立「嘉義尋常高等小學校」分校，專收日人子弟的學校，其校址初設於「大宅仔」，昔日分局長公館之南，嗣後改建於今之山產市場，並兼營幼稚園，後來獨立為「白河尋常高等小學校」。於 1941 年（昭和 16 年）4 月 1 日白河公學校改稱「白河西國民學校」，白河尋常高等小學校改稱「白河東國民學校」。因此，我是白河公學校入學，白河西國民學校畢業。當時的學校是男女合班。學制是每年 4 月初，入學至 7 月中旬為第一學期，7 月下旬至 8 月底約有 50 天的暑假，9 月 1 日至 12 月中旬為第二學期，然後約有二星期的春假，春假後至 3 月底為第三學期，而計算成績是分為甲、乙、丙、

丁（公學校改稱國民學校後，改為優、良、可、劣）的四等級。59 分以下算是不及格為丁（劣），60～74 分為丙（可），75～89 分為乙（良），90～100 分為甲（優）。

　　我入學一年級的導師是吳慶文老師，他家在白河市場裡開布店。我記得讀一年級的成績是平平。到了二年級時以第六名升入三年級，但是在二年級時發生了一件令我永遠難忘的糗事，不然我的成績可能在五名以內。當時是一位女性的導師，只記得她是賴老師，她的父親在我們鄉下裡唯一開眼科的賴眼科醫生館。全校每年有一位學生代表該年級出席在禮堂演講比賽。當時我被賴老師指定為本班出席演講的學生。但是，我演講到一半時不記得下半段的演講稿內容，一時緊張又焦急不知如何是好。後來賴老師在旁邊的幕後，示意叫我鞠躬後出來。事後賴老師不但沒有責備我，反而安慰我鼓勵我。但是至今每當我想到當時的情景就覺得很難過，很失志，而且還認為我的表達能力註定不會太好。三年起的導師是日本老師，大部分的老師都是很嚴厲，又對讀書成績不好的學生很兇。記得三年級的導師是辻老師，四年級的導師是幸村老師。到了四年級的第二學期之 10 月，因家父受聘於新營中醫診所上班，而全家遷移至新營居住。我們兄弟的學籍亦隨之轉到新營國民學校。轉去新營國校的導師是神田老師（以上三位日本老師的名字已忘記了）。因為我是一位由鄉下轉來的學生，同學大都不太友善又不太親近我。不是我的功課不好，而是他們嫉妒我讀書的情形，因此常常藉故找我的麻煩又欺負我，現在來說，可能就是所謂的霸凌的說法。使我在功課上產生不了興趣，而退步到險些遭到留級。

前三排右七為呂寶霖，二年級結業要升三年級時在教室後面拍攝

我是 1943 年度（昭和 18 年度）第 39 屆的白河西國民學校的六年級畢業生，我站在前三排左五。

右列呂寶霖成績確實無訛特此
證明

台南縣
白河國民學校
　　　　　校長　馮阿軒

中華民國五十三年九月四日

成績證明

白國證字第4788號

要升五年級時，家父又受聘到後壁鄉的菁寮市場西邊當中醫師，我們又跟著轉學到菁寮國民學校。當時導師是一位台灣人，據說他在本校兼教務主任，雖然他是台灣人，但是他的個性在我的感覺也是很兇，可能是教務主任兼任教高年級之故，他叫做劉家聲老師。在菁寮時同學比較不會欺負我，可能有一位我的姨表弟莊慶元（長大後成為我的妹夫）在班上之故，他的功課很好。但是我在心裏上也是很膽怯，對功課也是沒有甚麼進步。要升六年級時，家父又受聘到白河的白

水亭料理店當帳櫃（會計師），我們又轉回到白河國民學校原來的班級。我又轉回去白河國校時，劉家聲老師也是轉去白河國校任教鄰班六年級。第二次世界大戰後，因日本的老師全部歸國，所以劉家聲老師是大戰後的白河國校第一任校長，任期是自 1945.10.25～1946.3.21 止。我們的導師是吉田榮老師，六年級的第二學期，他轉去新營家政學校當家政學校的老師，所以第二學期以後的導師是五十嵐廣志老師。轉回白河國校的第一天上學時，因為我是全班最矮小的，依班規的習慣是要把我安排在最前面的座位上，但是，導師看到我從別的學校轉來之通信簿（記錄成績的資料簿），以為我是一位有問題且不上進的學生，隨便將我安排坐在最後排的空位上。因為我回到以前入學時的班級，全班的同學均有認識，且同學間不像過去轉學時的輕視與欺負，使我對功課慢慢產生興趣，課業立刻猛進，令導師有莫明奇妙的感覺，不到一個月導師藉故重新安排全班的座位，從此我的座位便在最前排的中央位置，而且我以第三名的成績完成國小的學業。至於還記得第一名是班長的林伯寧（日政時代改姓名為林田祥哲）同學，第二名是一位女性，她叫做沈球同學。畢業後當時因為家境不容許我再升學，幸蒙日本導師五十嵐廣志老師專程到寒舍說服家父，讓我再考入同校的高等科就讀。當時的台灣囝仔能進入高等科就讀，是一件不容易且光榮的事。第一名的林同學因比較高大，當時被徵召為海軍工員而去日本。當時第二次世界大戰期間，民間生活較為缺乏物資，而且因為要渡船過海去日本海軍工廠報到，又一切起居日用品應自己準備之外，還要帶蚊帳及棉被等類，這些都

要花錢去買，我又比較矮小，所以家父藉口不同意我去日本，不然我也會被徵召為海軍工員。因為成績好的學生都是鼓勵且優先錄取的，如果這次我若有去日本，可能會影響到我日後的命運與職業及一生之變化。雖然我沒有機會去日本，但是不負五十嵐導師專程到寒舍說服家父，能順利考入高等科就讀，對我後來在服裝界申請設立服裝補習班，以及在社會生活安定後，能進入高中補習學校與國立空中大學就讀均有幫助。第二名的沈同學比我多了三歲左右，所以畢業後不久就結婚，同時的女性大部分於 16.7 歲就結婚的較多。因此本班進入高等科的除我之外，還記得有張麗子、張青山、陳振華、高振宗等四位同學，其他的同學之姓名已經忘記了。本校高等科的招生來源，大部分來自白河鎮、後壁鄉、東山鄉等各地的國校優秀畢業生，經過考試及格後錄取而來的，因此本屆進入高等科的新生共有 60 位左右。沒有錄取的人，大部分都會鼓勵他們去讀青年學校，青年學校是不用考試。據說讀青年學校後，都是鼓勵他們去當兵而派去南洋的較多。讀高等科一年級與二年級的導師是稻沼修一老師。因為當時第二次世界大戰的時候，物資缺乏，沒有資源可以擴建校舍，致使白河國校教室不夠用，所以我們高等科一年級與二年級，都是在禮堂合班上課。我在高等科二年級後不久，碰上第二次世界大戰最激烈的時候，常常有空襲警報，我們全家疏散至關子嶺山下之仙草埔山頂時，從這裏要上學需乘坐客運車，因當時的班次不多又比較小型，放學後如趕不上班次或齊不上車時，就跟同學們一起走一、兩個鐘頭的路途才能回到家。而當時台灣正流行著瘧疾病（Malaria —— 俗稱寒熱

左圖：稻紹老師的四位子女。當時的大女兒高三、二女兒高一、男孩兒中一、三女兒小四。

下圖：稻紹老師夫婦。

1968.1.19 拍攝

病），本來身體就很虛弱的我，逃不過病魔的纏身，也跟人家一起流行著瘧疾病，致使我常常請假不上課，雖然我常常缺課，但是我的理數科（數理化等自然科學的）考試時，還保持優（90～100 分）等，其他的科目為良（75～89 分）等的成績，高等科的學科有修身（公民）、國語、歷史、地理、算數、理科、體操、武道、音樂、書法、圖畫、工作、農業等 13 學科。當時的導師稻沼修一老師是剛從軍中退伍，他有軍中的特效藥（黃色、很苦）偶爾會拿給我服用，使我至今感念他對我的愛護，所以在 1975 年我第一次出國，受聘去韓國首爾及日本東京擔任服裝技術演講時，專程去茨城縣西茨城郡岩瀨町今泉 469 拜訪稻沼老師全家，他的夫人也是在白河國校任教的粟原房子老師（結婚後，改姓為稻沼房子，日人結婚後需從夫姓），他回去日本後在當地茨城郡七會村立小勝小學的學校擔任校長之職。因日人有規定長子要承屬祖產及行業，所以稻沼老師夫妻回日本後，所有祖產及產業，落在稻沼老師身上，但是他在當地任職校長時，大部分的產業都是老師娘在負責，致使夫人看起來較為蒼老一點，當晚的晚餐在老師家受老師夫妻倆的招待，並言談同學等情形。臨別時老師知道我的職業是從事服裝業，因此還到當地市場買些布料讓我帶回國為禮物。從此我們師生每逢聖誕節或新年到時，都會互寄聖誕卡或賀年片，直至 2005.1.27 我收到老師的長女（田宮孝子 —— 已經結婚而從夫姓）來信說，去年（2004 年）夏天她的母親過世後，因父親思念母親過度，致使患了痴呆症而住院的消息，在我得知後，便抱著有生之年再次去日本探視稻沼老師。第一次去日本訪問稻沼老師

時，經稻沼老師提起才知道吉田榮老師（岩手縣盛田市東中野町 10-2）及五十嵐廣志老師（福井縣坂井郡大石村西長田19-17）的住址，當時沒有時間再跑去拜訪兩位老師，但是回台後我有寫信去問安。並每逢聖誕節或新年都有互寄聖誕卡或賀年卡。後來吉田老師及五十嵐老師夫妻分別來台灣觀光時，也來台北找過我，當時看到老師們還很健康，但是直到最近幾年前，倆位老師的公子來信告知倆位老師已不在人世了。

　　我在高等科要畢業那一年，適逢第二次世界大戰結束，當時世局尚未安定，且當時的家境又不甚好，因而未能再繼續升學。出社會生活安定後，因幼時失去讀書的機會，自覺學識不夠，如有讀書的機會絕對不會放棄，例如，1974 年時，洪炎秋先生在國語日報主辦高級中學科的函授學校，我就讀二年後畢業。然後，於 1978 年 9 月（我當時 47 歲）在日政時代的高等科之畢業證件，以初中同等學歷考入台北市私立志仁高中補習學校普通科高級部，開始了三年的高中夜校生涯，繼續充實自己。但是，幼時所讀的是日本時代的教材，又經過 30 多年未繼續讀書，且步入中年再重新研讀我國的高中課程，真所謂又吃力又辛苦，且自己的事業又很忙。因此於第三、四年的時候曾想放棄學業而休學二年，但於第五年時候，又回校去完成未讀完的學業，終於 1983 年 6 月畢業（當時 52 歲），並經過台北市政府教育局高中資格考試及格，隨之而來的喜悅難於言表。再於 1993 年 11 月至 1996 年 5 月陸續參加行政院勞工委員會與東吳大學及台灣省總工會等合辦的勞工幹部企業管理系函授校初級班，高級班、研究班課程，

陸續結業後，於 1996 年 9 月又入學於台灣基督長老教會松年大學雙連分校，經過四年松年大學的生涯後，於 2000 年 6 月畢業。雖然函授班與松年大學（俗稱老人大學、銀髮大學或社會大學）均沒有政府認定的正式學歷，但是抱著如有學習的機會便去參加的心態。現在雖然年歲漸高，記憶力又較為退化，遲鈍，但是為了學習更多的學識與充實自己，為了追求充實的生命內容，也明白求學的目的，不是為了考試的分數與文憑，而是要闊展人生的視野，以及自己的心靈更充實，明知大學之路不好走，尤其是國立空中大學，只有抱著能學多少就算多少並得多少的心理（希望），而於 2000 年 9 月進入正式有學歷的國立空中大學繼續學習迄今。並參加學校所附設的適合自己個性與興趣之社團，另一方面在大同區公所舉辦的長青學苑課程中，如有適合的課程就報名學習。因此現在每天還過著忙碌的日子。自認年輕時，但轉瞬間已老邁，時間便是這樣快的飛逝而過，反之，「少年易老學難成，一寸光陰不可輕；未覺池塘春草夢，階前梧葉已春聲（少年老い易く學成り難し、一寸の光陰輕んずべからず、未だ覺めず池塘春草の夢、階前の梧葉すでに秋聲）。人生本來就是活到老學到老（學ぶに年はない ── Never too old to learn，即ち，生きている限り學びつづける。或は，遲くともなさざるにまさる ── Better late than never.）。最後我以記憶中在白河國校常唱的日文白河校歌來結束本文：第一節是：空に聳える沈頭の、峰に望みを卓越えつつ、此の名も清き白水の、心も罪も洗いされ、此の白河に育てられ、我等の幸を計りなし ── 聳立在天的沈頭山，能在山峰卓越眺

望，在此清澈的白水溪，能洗清心情與罪過，而生長在此白河上，能策畫我們的幸福。雖然第二節與第三節之前端已經忘記，但是第二節與第三節之最後二句還記得很清楚。第二節是：此の學校で學む身も，我等の幸を計りなし ── 能學習在此學校裡，能策畫我們的幸福。第三節是：此の覺悟持て勵む身の、我等の幸を計りなし ── 能奮勉這樣的覺悟，能策畫我們的幸福。

1992 年作者榮獲全國模範勞工

家父黃頼（1900-1985）在世時，於 1968 年 10 月 20 日在台北市
赤峰街基督長老教會經陳惠昌牧師受洗後與作者呂寶霖合影留念

宗教信仰之路

　　我於 1947.9.7〜1949.9.11（當時 16 歲多）時，曾在白河昭文堂當過鐘錶店的學徒，老闆（師傅）五位兄弟中，有三位及他們的妹妹（張顯庭、張崇興、張崇隆、張淑美）是基督教徒。所以我有時候會和他們去白河基督長老教會做禮拜。有時候他們也會教我讀羅馬字、看白話文（羅馬字）的聖經。我會讀羅馬字是從這裏開始的。1949.9.11 離開鐘錶店後，於 1950.6.25 到新營投靠家兄為西裝店的學徒時，禮拜天也會去新營基督長老教會做禮拜，也曾參加過教會的青年團契（簡稱 T.K.C）與聖歌隊擔任四重奏的男低音（bass）。1952 年秋來台北後，於 1953.3.15 輾轉來台北市武昌街 1 段 22 巷 15 號（城中市場內）時，適逢這間的房東（賴李鑾）全家及對面福州人（毛永欽）開的旗袍店全家與斜對面的美美服裝號（林朝元）全家，也是基督徒，因此於 1953.7.12 接受他們的建議而接受洗禮為基督徒。很幸運的，後來於 1954 年 9 月輾轉到台北市延平北路 160 號建美服裝號（張依鏗）全家也是基督徒。

　　我離開家鄉要來台北之前，白河教會與新營教會的青年團契之兄姊，曾留給我簽名留言為鼓勵與紀念。至今我還留著這本簽名紀念簿。其中一位黃鎮山弟兄送我一句聖經裡的

敬愛的寶霖兄　惠存.

何事をも思ひ煩ふな

　　たゞ事ごとに祈をなし

　　　　願をなし

感謝して汝らの求を

神に告げよ!!

ピリピ第四章第六節

偉大なる希望に

責織の日あらん事を.

新營教會　黃鎮山　敬贈

寶霖兄.

白河にはヌルヌルとした心持良い温泉湯と.

そして白水渓のサワヤカなユットリとした流ぞ

ありし事を忘れるな.

名言，是用漂亮的日文寫的。翻譯為中文是這樣的：敬愛的
寶霖兄惠存：應當一無罣慮，只要凡事藉著禱告，祈求、和
感謝，將你們所要的告訴上帝（腓立比人書4：6）。恭祝偉
大的希望，有貫徹之日。寶霖兄：請別忘記白河曾有令人心
情舒暢而滑溜溜的溫泉♨，以及清爽而寬敞的河流之白水
溪……另一位陳金鴻弟兄（不久後他也來台北，在中山北路
2段雙連基督長老教會隔壁之中國主日學協會擔任重要職
務）送我一首日文讚美歌260首共有四節，中文版的聖詩189
首是跟日文讚美歌是同義，其中的第一節是：替我打破石磐
身，使我在祢內面，祢受鎗鑿（削）脇下開，孔口流出血與
水，二項功效我攏愛，赦罪洗心除惡事。至今我還記得這句
聖經的章節與這些聖詩。如遇到心情不好或困難時，會拿出
這本簽名簿翻一翻看一看，有時候在心裡頭或無人時就會吟
起這些聖詩來沖淡心裡的苦悶。有時候也會吟我平常喜歡的
日文之讚美歌312首，其內容的第一節是：いつくしみ深き、
友なるイエスは、罪とが憂いを、とり去りたもう、こころ
の嘆きを、包まず述べて、などかは下さぬ、負える重荷を。
中文版的聖詩275首是跟日文版的312首同曲，中文版的第
1節是：至好朋友就是耶穌，擔當罪過與煩惱，真正咱有大
大福氣，萬事攏可對祂討，心肝常常失落平安，沓沓掛慮艱
苦事，這是對咱未有深信，未有放心交託主。

　　1958年我與太太（陳秀月）結婚時，是在白河基督長老
教會舉行的，由當時的賴仁聲牧師為我倆證婚的。很多親戚
好友參加之外，還有白河與新營教會的會友與青年團契的兄
姊，均為我倆吟詩與祝福。新營教會的青年團契兄姊也共送

ちとせのいけよ
わが身をかこめ

さかれしわきの
ちしほとみちに

つみもけがれも
あらひきよめよ

かよわきわれは
おもてにたつ

みゆゑこころも
たえつすみけり
つきあはあらふ
ちからはあらし

你要以你的訓言
引導我
以後必接我
到榮耀裏（詩七三、二四）

祝你的前途
願主幫助

十字架ならで
頼るかなしき
切りき我を
あはみ給へ
み恵にいけば
生くるちから

世にあるうちに
知るめ黄泉なり
世去るより
ちからの日にも
わが身をかこめ
ちとせのいけよ

寶霖　弟兄

陳金增弟兄　Kimchong

民國四十一年九月三日

張淑惠

引導我去教堂做
礼拜的白河昭文
堂老闆的妹妹。

我倆一本新舊約的聖經，內頁還有寫約翰一書四章七節給我們作為結婚留念。這本聖經至今還在我的身邊。

　　人在世上必定有宗教，信仰宗教是自由的，我對所有的宗教都有一點認識與研究，如佛教、道教、儒教、基督教、一貫道等，無論是什麼教，大部分都是勸人家要做善事、行好路，也看過很多宗教在電視上或報章雜誌有活動或儀式，又這些宗教所敬拜的大部分都有偶像與迷信，但是我對基督教較有獨特的見解與認識，我認為信仰基督教比其他的宗教較為理想與適合，所以我才信基督教。我一生信奉基督教算起來也已超過半世紀，未能引領家人參加基督教，是我一生中最遺憾的事，因為信仰宗教是自由的，所以我從來沒有積極鼓勵家人一定要跟我一樣信奉基督教，但願今後他們對基督教有所認識，而過著基督教的家庭生活。願上帝祝福他（她）們，保守他（她）們一切平安。不過可以讓我安慰的是家父在世時，主張無神論，他常說：「人死後如一枝草枯萎一樣，甚麼都沒有」。但是，他後來也信基督教。他老人家終於在1968.10.20 在赤峰街基督長老教會陳惠昌牧師的主持下接受洗禮，他老人家能得著上帝的祝福，至 1985.10.17 才蒙主恩召（1900.2.25～1985.10.17，享年 86 歲）。舉辦告別式時，有赤峰街教會與大橋教會的牧師、長執、會友及親朋好友很多很多的人來為他送葬。

　　我在白河時，偶爾會去白河教會做禮拜，因為當時是鐘錶的學徒比較沒有自由去。自從我去新營投靠家兄學習縫製西裝後，比較有機會去新營教會做禮拜，也有時間參加青年團契（TKC）及聖歌隊。但是離鄉背井來台北後，為了賺一

口飯吃而為生活，要做衣服的縫製師，又在城內時，幸與美美服裝店全家及以前的店東（賴李鑾）及對面福州旗袍店全家，時常一起走路去萬華教會聚會，並在萬華教會受洗禮。後來去延平北路二段擔任裁剪師後，雖然生活較有安定，但是自己是裁剪師，有責任感裁衣服給店裏的師傅們縫製衣服外，偶爾跟老闆娘（鄭君子 —— Madam）去李春生紀念教會做禮拜，後來買厝在重慶北路二段現住址後為事業很少去禮拜堂，但是有一天遇到新營的青年團契之黃江清兄，也來台北國稅局服務，他住在松山區的福德街而繳我到伊寧街之大橋教會聚會，偶爾也到赤峰街教會（牧師娘是白河教會的江漢嫂之女兒）聚會，因當時家父住在赤峰街附近之故。一直到 10 年前新營的周溫泉兄帶我去龍江路二段 135 號 2F 做禮拜，但是這裡的教會是用下午 3 點才做禮拜，當時較為年青而體力比較沒有甚麼問題，但是最近年歲漸漸增加後，覺得做禮拜時會打瞌睡，而且自 2013 年 6 月 3 日至 10 日去中國大陸最北的黑龍江省之地方去觀光時，於 8 日將行李提至飯店的台階時「腰骨閃著」致使骨質疏鬆至今，沒有去過禮拜堂了，但是心裡時常讚美主及感謝主的照顧一切。

內政部主辦全國女裝組技術士技能檢定評審人員研習會 江南攝影

民國六十九年八月二日於實踐家政經濟專科學校

（前排右五為本書作者呂寶森先生）

內政部主辦全國男裝組技術士技能檢定評審人員研習會　江南攝影
民國七十年二月二十日於實踐家政經濟專科學校
（前排右四為本書作者呂寶霖先生）

1975 年 5 月 12 日，女服裝工裁判員（作者後排左一）與本社社長於競賽場前合影留念

作者於高藏學校任教時，要求畢業生親自為自己縫製的畢業服裝
（旗袍禮服）並與同學們合影留念。

黃氏宗譜

附：呂家族譜（我是黃骨呂皮）
　　廖家族譜（我的繼祖父家）
　　李家族譜（我的大姑丈家）
　　梁家族譜（我的二姑丈家）
　　白家族譜（我的母舅家）
　　陳家族譜（我的岳父家）

藏

呂寶霖編著

我們黃家與廖家、呂家的家世：

2008 年戊子年渡台第四世裔孫呂寶霖謹誌

　　祖籍中國大陸福建省泉州府東鞍縣上畬堡上畬鄉，從中國大陸約於清朝道光宣宗帝其間渡海來台的我們第一世曾祖父黃調（1811～1904）輾轉遷居於台南府鹽水港廳下茄苳北堡菁寮庄土名前菁寮 1051 番地（今為台南縣後壁鄉菁豐村）後，與曾祖母楊緞（1830～1884）倆人勤奮開墾田園，由無田產至耕作為約 80 甲左右的農墾地，務農起家經營有成，遂為前菁寮的富紳。後來將 80 甲的農地留給第二世的四位兒子，每人各得 20 甲左右農地。1895 年 4 月清光緒 21 年德宗帝根據馬關條約將台灣與澎湖割讓給日本（明治 28 年）統治，從此，台灣與澎湖已成為日本國版圖之一部分。當時日本為了容易統治台灣與澎湖，均採取鴉片的政策，因此第二世的四位兄弟均有吸食鴉片之習慣，以致將所有家產全部敗光，且在壯年時就早逝，如我們這一房的祖父黃愁（1870～1907）在 38 歲時就往生。祖母林涼（1874～1916）為了生活將當時 2 歲的二姑母黃玉華（1907～2004）送給鄰村（當時叫做魚村，現在為平安村）人家領養，9 歲的家父黃類（1900～1985）就到下茄苳的母舅公（林萬盛）家放牛為牧童，而帶著 5 歲的大姑母黃玉葉（1902～1987）改嫁到鄰村後壁鄉侯伯村 40 號廖登高（1870～1942 —— 可以說是我的繼祖父）為妻後，又生有三位廖家的叔父。分別是廖松茂（1910～1935）、廖典謨（1912～1974）、廖聰敏（1914～　），另一位叔父廖聰御（1919～1976）是祖母往生後，廖登高再與賴伴結婚所生的，算來是不同祖父與不同祖母的叔父。

　　家父幼少聰穎，勤奮向學（自修），為黃愁公之哲嗣，漢學修業，曾從事漢藥材買賣有年，一生以振興家族為己志，而懂得漢文之外，又全心研究漢藥之病理，並輾轉遷居至台南卅新營郡白河街（今為台南縣白河鎮永安街 9 號）開設永安藥舖，執壺濟世，迄茲閱歷悠久，名聞四方。因此白河鎮是我的出生地。白河在三佰餘年原為荒蕪未闢之曠野，嗣以商販與懇荒者聚集，時稱白河為「店子口」，成為山產及農產之集散地。往昔在北方「大排竹」一地形成一街肆，到了 1796 年（清仁宗 ── 嘉慶初年）「店仔口街」的繁榮取代了它，遂成為此地的市場。1832 年（清宣宗 ── 道光 12 年）張丙作亂，後遭數次火災，壯民為求境內平安改稱為「平安街」，隸屬嘉義縣治。1894 年（清德宗 ── 光緒 20 年）更名為「店仔口街」，1895 年日本據台後重編行政區域，白河隸屬台南府鹽水港廳店仔口支廳，並設店仔口區役場。1920 年地方制度又改制，與海豐厝區及番仔寮之一部分合併，由於白水溪流貫全境，處在急水溪支流白水溪北岸，故更名為白河庄後昇為白河街，隸屬台南州新營郡白河街，1945 年第二次世界大戰後改稱為台南縣白河鎮。但是自 2010 年 12 月台南縣又改制為台南市，因此白河鎮或其他鄉鎮市均改為區迄今。因家父於 1917 年 6 月 11 日與後壁鄉侯伯村之洪綉（1901～1918）結婚後不久喪妻，而再到後壁鄉土溝村之家母呂白甘（1904～1938）入贅，因為我是次男，依雙方結婚前約定我要繼承母姓，因此我是黃骨呂皮而不叫黃寶霖，而叫做呂寶霖。我生於 1931 年 3 月 1 日（辛未年 1 月 13 日亥時），今年的生日滿 77 歲的喜壽之年，我是排行第四，上有

一位大哥二位姊姊，其中二姊黃寶琼（1929～1929，前後117天）在我出生前就往生，下有弟妹各一人。我在7歲時家母體弱久病不治逝世。翌年家父又娶白河鎮土庫里的張麵（1911～1987）為繼室，前後又有一位妹妹三位弟弟，當時繼母來我家時帶有一位妹妹來我家當養女。

　　我為了後代子孫能明瞭我們的家世，而費了很多的時間找各種資料，在這裡要感謝很多族親幫忙提供寶貴的資料，僅有些族親遲遲不提供資料，我認為他們對家世不重視，古人說：「虎死留皮，人死留名」，家族譜也是一種歷史的記載，能留一點資料給世世代代的子孫明瞭上一代的人之資料，也是很好的事情。所以僅將我所知道的資料提供給大家做參考，如有遺漏的資料，請大家要諒解。又，讓我遺憾的事，就是只能記錄第二世之第三房（黃愁）以後較為詳細之資料，其他因失聯之故，未能一一詳細記載。據說，他們有些人還住在菁豊村，或輾轉至嘉義與新營，希望後代子孫如有機會再去追尋查考為盼。還有我們黃家本來有自己的宗詞在菁豊村，因住在菁豊村宗詞或附近的第三世族親，為了向外發展而將宗詞所有產權賣掉後，將所得的款項分配給第三世的族親（含家父），因此，目前我們黃家已沒有宗詞，很遺憾不能留給後代子孫，有一所懷念祖先的發詳地。

　　自古以來，傳統的族譜不登入女性，僅登入男性，過去的習俗較重男輕女而歧視女性，而且不重視女性，但是現代已進入兩性平等，兒女可以從母姓，女兒也可以繼承娘家的遺產，現代的女性也已經和男性有同樣的能力，如女企業家、女首相、女總統等等……，也有同等的待遇，也能和男性平

起平坐,何況現代的家庭兒女又少,甚至有的家庭沒有兒子,僅有一、二個女兒,因此,我認為女性也應該寫入族譜裡面,才合情合理,因為女性也是人。所以我編這本族譜,有別過去的族譜,也有女性的名字,雖然編的不夠完整,希望後代子孫繼續努力編下去。此本族譜可能是我國第一部將女性也寫入的族譜。

　　為了編輯這本宗譜,經過很多人的協助,如黃家第四世已故之莊慶元與第五世之黃月紅及游建茂,廖家第四世之廖紹贏與第五世之廖佩玲,李家第四世之李振順,梁家第四世之梁乃文、梁乃清及他的太太(王英女),白家第五世之白志亮,陳家第四世之陳天輝與第五世之林新昌等多位親族不厭其煩而頂力協助,尚有其他親族未能一一刊載致謝他們的熱心幫助,在此僅致上最深的謝意與祝福。

查表說明:

1.直線 —— 為直系,父母與子女之關係。
2.虛線------為配偶與其父母之關係。
3.長虛線————為養父母與養子女之關係
4.夫名排在前,妻名在後,女婿名亦排在前,女兒名亦排在後,即男性排在前面,女性排在後面。
5.男性後面,有的兩位妻子或三位妻子。幸好本家之男性,到目前不是娶三妻四妾的男性,均為大某(妻)往生後在續弦的,或二妻又往生再娶繼室的。
6.女性前面,有的兩位男性或三位男性,是離婚後再結婚的。
7.有些人有兩個名字,因被人領養或結婚而改名或重新改

名，括號內為原名。

8.我是黃家來台第一世之黃調後，算起為第四世裔孫，其他各姓（廖、李、梁、白、陳）不知其屬實際第幾代之宗族，為了各姓親族之稱呼，凡屬第四世就是跟我同輩之親族，如姓廖的第三世我要叫阿叔、阿嬸，第四世是我的堂兄弟姊妹，姓李、梁的第三世是我的姑丈、姑母，第四世是我的姑表兄弟姊妹，姓白的第三世是我的母舅、母妗，第四世也是我的姑表兄弟姊妹，姓陳的第三世是我的岳父岳母，第四世是太太的兄弟姊妹，第五世是屬於我的子女之表兄弟姊妹，謹此順便奉告。

9.因編輯這本族譜，花了很多時間還未完成，因作者最近身體不適，未知何時才能完成，所以草草就現在所知道的刊載於後，如果未完成的部分，敬請諸位讀者不要見怪，希望今後有心人能出來完成是盼！

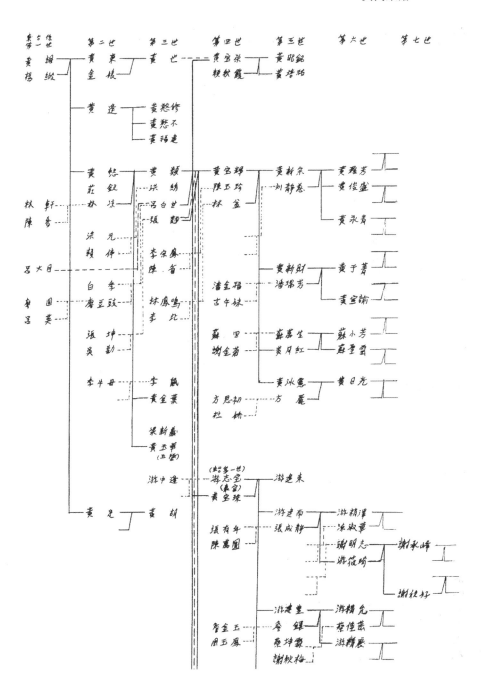

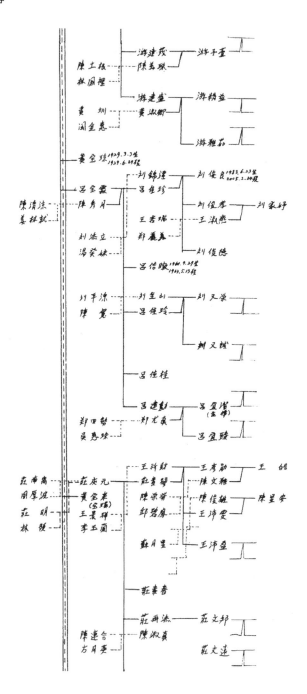

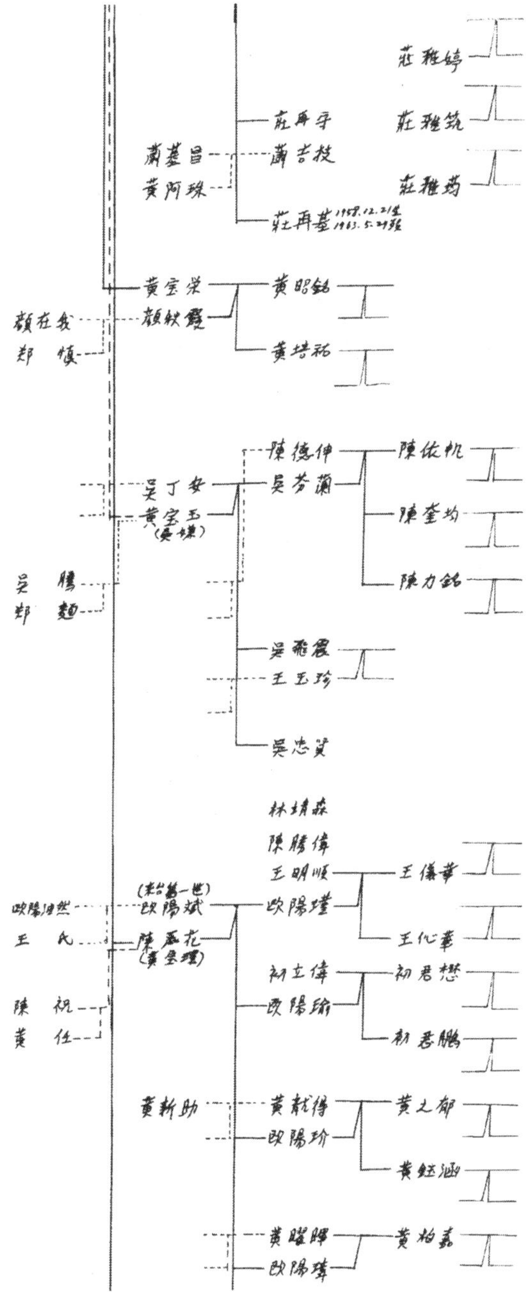
莊雅婷
莊雅筑
莊再守
蕭基昌
蕭吉枝
莊雅筠
黃阿珠
莊再基 1958.12.21生 1963.5.24歿
黃宝栄
黃昭銘
顏在我
顏秋霞
鄭 慎
黃培祐
陳德伸
陳依帆
吳丁安
吳芳蘭
黃宝玉
(吳媒)
陳奎均
吳 騰
鄭 麵
陳力銘
吳飛霞
王玉珍
吳忠貿
林靖森
陳勝偉
王明順
王儀華
(來台第一世)
歐陽油然
歐陽斌
歐陽瑾
王 氏
陳盈花
(黃金理)
王佑華
初立偉
初君懋
陳 祝
歐陽瑜
黃 任
初君鵬
黃新助
黃献偉
黃之郁
歐陽玠
黃鈺涵
黃曜暉
黃柏嘉
歐陽瑋

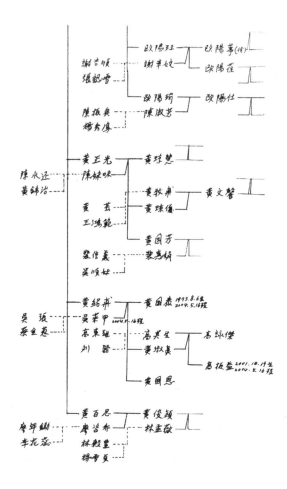

　　下表是我的祖祖父廖家来台第一世世居於台南有塩水港方　下茄萘地堡上茄萘庄土名後壁寮庄
202番地，今為台南市後壁乡俊伯里44号（06-687-2943）

第一世	第二世	第三世	第四世	第五世	第六世	第七世

廖啟　　廖登嵩　　廖栖茂　　廖紅棗 1930.11.21生
吳焦　　吳旨　　　吳捕　　　　　　 1939.5.22殁
　　　　林泱　　　　　　　　　　　賴登明
　　　　賴偉　　　　廖紹崴　　廖梵嬋
吳磋　　　　　　　　林碧玉　　廖志明
洪嬌　　　　　　　　　　　　　廖志志
　　　　吳昆
林軒　　李昨　　　　　　　　　廖志仁　　廖紫佑
陳香　　　　　　　　　　　　　李美瑤

賴糊
張香　　　　　　　　　　　　　　　　　　廖尸瑜

　　　　　　　　　　廖紹楠 1934.5.28生
　　　　　　　　　　　　　 1938.1.3殁

　　　　　　　　　　　　　　吳志行　　吳兆偉
　　　　廖典謀　　廖學文　　廖俾芳
　　　　賴格　　　曾只　　　　　　　　吳兆軒

　　　　曾牛　　　莊源玲　　莊雲軟　　莊于平
　　　　盧庯　　　陳霞　　　廖俾發
　　　　　　　　　　　　　　　　　　　莊于進

　　　　　　　　　洪崔傳　　洪朝臭　　洪士瑜
　　　　　　　　　王美妹　　廖俾琨
　　　　　　　　　　　　　　　　　　　洪士翔

　　　　　　　　　賴桎　　　賴明皇　　賴緯瑜
　　　　　　　　　張琪　　　廖俾霜　　賴效翰

　　　　　　　　　晏明鐘　　　　　　　賴大縉
　　　　　　　　　王義文
　　　　　　　　　　　　　　廖俊毅　　廖偉函
　　　　　　　　　　　　　　黃美華

　　　　　　　　　李燕清　　李顯政
　　　　　　　　　廖櫻子

　　　　　　　　　　　　　　陳銘責
　　　　　　　　　　　　　　李棄匯

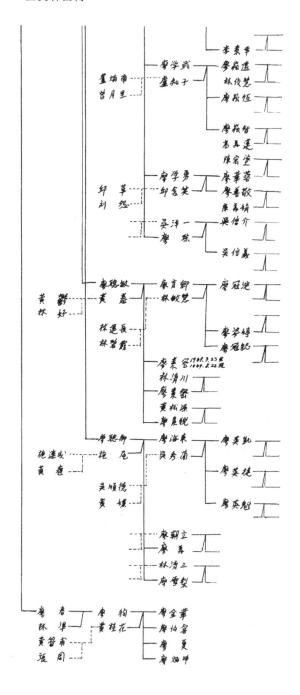

　下表是我的大姑丈大李鼠（李家）的家世，現住於台南市後壁巳菁豐里22号之8（06-662-14
6）（昔日黃家的原籍在本料之李家附近）

第一世　　　第二世　　　第三世　　　第四世　　　第五世　　　第六世　　　第七世

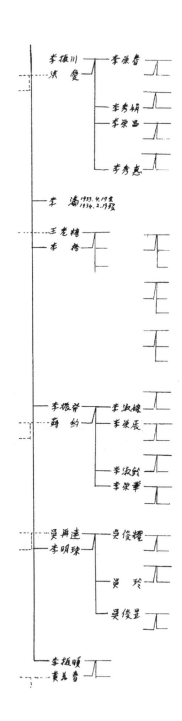

下表是我的二姑丈家的族親譜，他們的祖籍是中國大陸福建省泉州府南安縣九都井潭内居廊内，家遷祖自將字葷列在於下：可成獻章，士行英科，登世輝範，太猷克昌。我現明和集起，不稱未能集成。梁乃文家現住於台南市後壁區墨林里243号 06-662-1992，梁乃清家兄弟住在美国夏威夷，住址為 1545 Kalakaua Avenue Apt. 513 Honolulu. Hawaii 96826-2455 U.S.A.

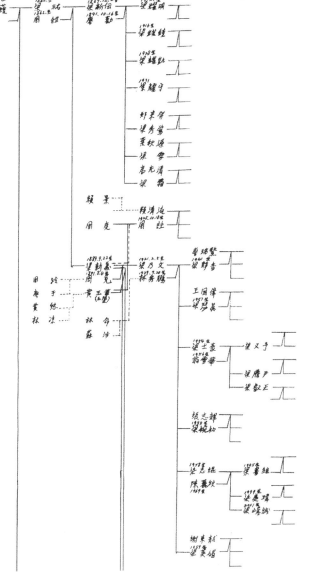

第一世(後) (獻字)　第二世(章字)　第三世(士字)　第四世(行字)　第五世(英字)　第六世(科字)　第七世(登字)

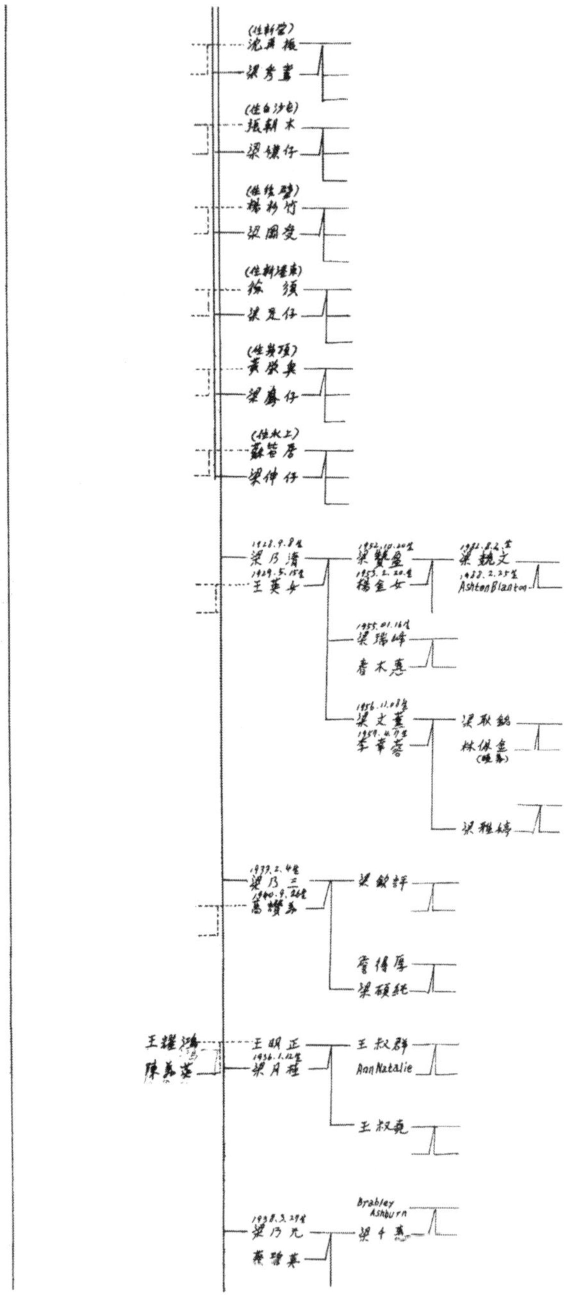

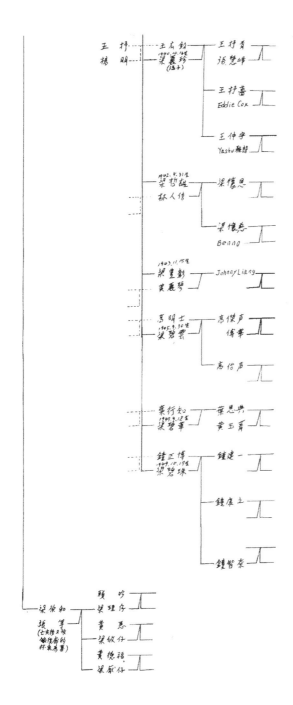

　　下表是我的母舅白淨在日政時代，住在台南州新營郡後壁庄（鹽水港庁下茄苳北堡土溝庄）下土溝671番地，今為台南市後壁區土溝里41号。我是知道第四世以前的事而已，但是第五世以後都是第五世的白志亮所提供給我的，可以說白志亮幫我最多的一位。白夫亮他現在住於台中市南屯區公益路2段615-9号6F-3。在中龍鋼鉄公司上班，電話是04-2630-6088#是6300。

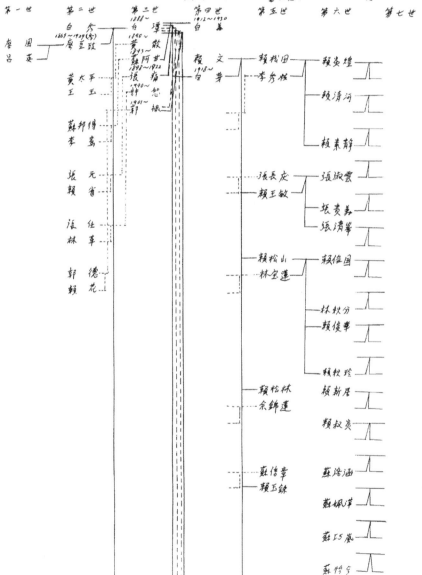

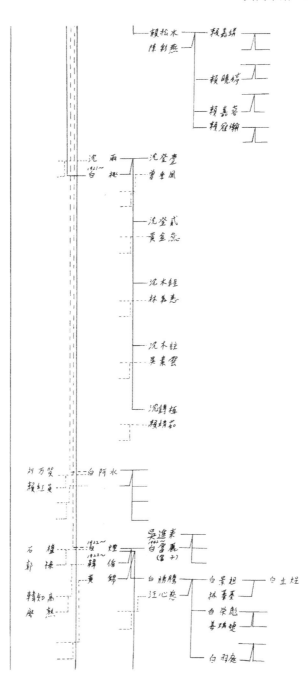

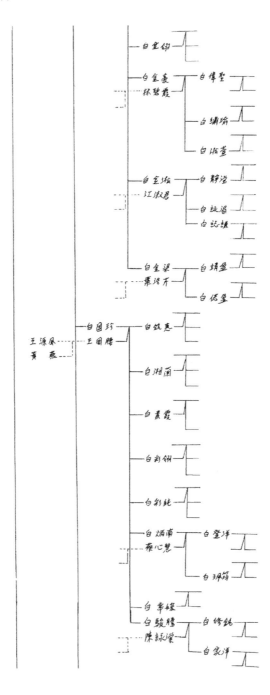

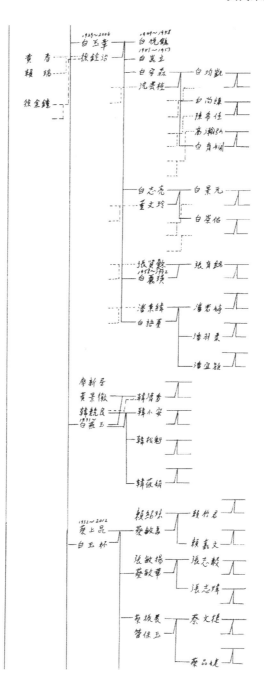

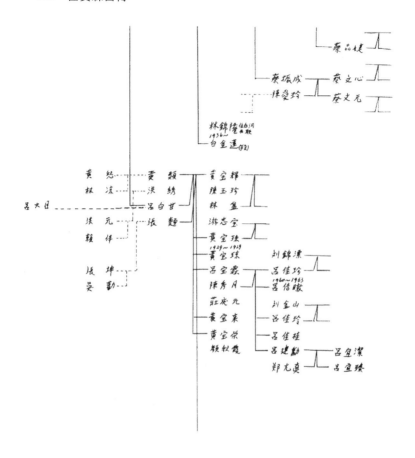

下表是我的岳父陳清淋（陳家）的家世，現住於台南市下營區營前里中山路2段43号。電話是06-689-2005号。

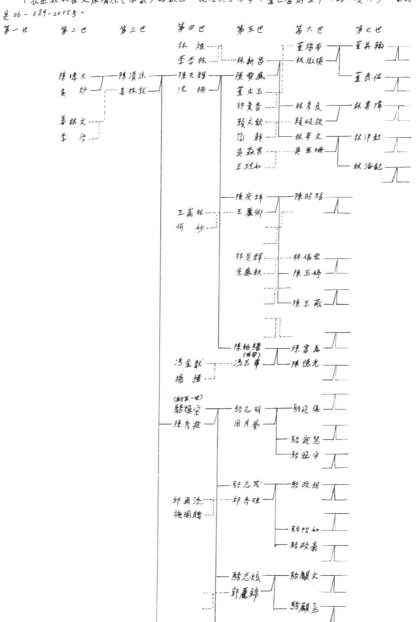

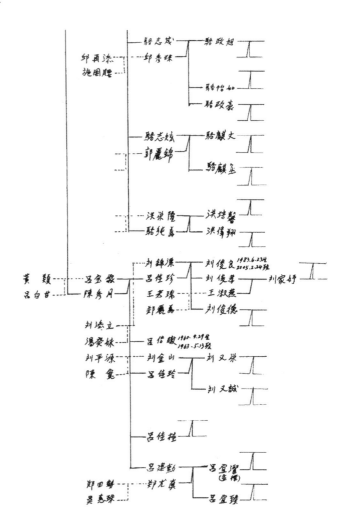

黃、呂二家族往生者名錄（第一世～第六世）

第一世：	黃　調	生於 1811	辛未年 01.13	吉時	享壽 94 歲
		卒於 1904.12.29	甲辰年 11.23	寅時	
	楊　緞	生於 1830	庚寅年 06.24	寅時	享壽 55 歲
		卒於 1884.06.15	甲申年閏 5.6	辰時	
	呂大目	生於 1817	丁丑年 11.26	未時	享壽 83 歲
		卒於 1899.03.25	己亥年 02.14	寅時	
第二世：	黃　愁	生於 1870.12.16	庚午年 11.16	卯時	享壽 38 歲
		卒於 1907.10.20	丁未年 09.14	己時	
	莊　釵	生於 1872	壬申年 01.09	子時	享壽 21 歲
		卒於 1892.06.13	壬辰年 05.09	己時	
	林　涼	生於 1874.10.29	甲戌年 10.30	亥時	享壽 43 歲
		卒於 1916.04.13	丙辰年 03.11	己時	
	廖豆鼓	生於 1866.03.09	丙寅年		享壽 64 歲
		卒於 1929.11.21	己巳年 10.21	吉時	
第三世：	黃　類	生於 1900.02.25	庚子年 01.26	申時	享壽 86 歲
		卒於 1985.10.17	乙丑年 09.04	戌時	
	洪　綉	生於 1901.07.30	辛丑年 06.15	申時	享壽 18 歲
		卒於 1918.05.02	戊午年 03.22	未時	
	呂白甘	生於 1904.04.13	甲辰年 02.28	酉時	享壽 34 歲
		卒於 1938.01.20	丁丑年 12.19	午時	
	張　麵	生於 1911.05.20	辛亥年 04.22	吉時	享壽 77 歲
		卒於 1987.04.12	丁卯年 03.16	子時	
	黃金葉	生於 1902.11.13	壬寅年 10.14	吉時	享壽 86 歲
		卒於 1987.06.12	丁卯年 05.17	吉時	
	黃玉華	生於 1907.06.28	丁末年 05.18	吉時	享壽 97 歲
		卒於 2004.08.17	甲申年 07.02	酉時	
第四世：	黃寶輝	生於 1922.01.11	辛酉年 12.14	午時	享壽 58 歲
		卒於 1979.10.18	己未年 08.28	吉時	
	陳玉珍	生於 1924.09.20	甲子年 08.22	吉時	享壽 26 歲
		卒於 1949.01.02	戊子年 12.04	吉時	
	游志寶	生於 1914.10.10	甲寅年 08.21	吉時	享壽 91 歲
		卒於 2004.02.15	甲申年 01.25	吉時	
	黃寶珠	生於 1925.07.28	乙丑年 06.08	寅時	享壽　歲
		卒於			
	黃寶琼	生於 1929.03.03	己巳年 01.22	吉時	享壽 117 天
		卒於 1929.06.27	己巳年 05.21	吉時	

	莊慶元	生於 卒於				
	黃寶榮	生於 1934.05.06 卒於 2007.09.09	甲戌年 03.23 丁亥年 07.28	子時 寅時	享壽 74 歲
	吳丁安	生於 卒於				
	歐陽斌	生於 1917.11.24 卒於 2000.05.02	丁巳年 10.10 庚辰年 03.28	吉時 酉時	享壽 84 歲
	黃寶環	生於 1940.02.16 卒於 1998.06.17	庚辰年 01.09 戊寅年 05.23	丑時 吉時	享壽 59 歲
	呂菜甲	生於 1952.07.20 卒於 2004.05.16	壬辰年閏 5.9 甲申年 03.28	 寅時	享壽 53 歲
第五世：	呂佶暾	生於 19600.9.29 卒於 1963.05.13	庚子年 08.09 癸卯年 04.20	巳時 辰時	享壽 4 歲 （實際 2 歲多）
	莊再基	生於 1958.12.21 卒於 1963.05.27	戊戌年 11.11 癸卯年閏 4.5		享壽 6 歲
	吳忠賢	生於 卒於				
	黃國泰	生於 1973.08.06 卒於 2004.05.16	癸丑年 07.08 甲申年 03.28	吉時 寅時	享壽 32 歲
第六世：	劉俊良	生於 1983.06.23 卒於 2005.02.24	癸亥年 05.13 乙酉年 01.16	寅時 丑時	享壽 23 歲
	高振益	生於 2001.10.19 卒於 2004.05.16	辛巳年 09.03 甲申年 03.28	吉時 寅時	享壽 4 歲

日政時代自 1937 年至 1945 年台灣皇民化運動開始一直到第二次世界大戰結束，皇民運動中積極推展「日語常用家庭」，而發給認可證書及「日語家庭」的門牌，大戰期間物資缺乏時代先配給糧食。在 1940 年 2 月 11 日適逢日本的「紀元 2600 年」紀念日，推行台灣人把姓名改換日本式的姓名，因此第三世的黃類，將家族改姓名為日人用姓名如下。

黃　　類：宮田義一　　　黃寶瑛：宮田月子
張　　麵：宮田君子　　　黃寶榮：宮田正雄
黃寶輝：宮田正助　　　黃寶玉：宮田金子
黃寶珠：宮田年子　　　黃寶環：宮田丸子
呂寶霖：宮田正清　　　黃正光：宮田正光

　　郵差先生您好：這是日政時代的住址，我知道您很忙，但是請您務必將此信投給收信人或他的家族。他在日政時代白潭（開中藥房）先生的兒子，白潭先生是我的母舅，我已經超過一甲子沒有去過土溝了。不知現在變成如何？

台南州新營郡後壁庄下土溝 671 番地

今為 731-44 台南市後壁區土溝里

　　敬愛的玉章表兄收信平安！

　　我是黃纇與呂白甘之次子，我們在學生時代我叫宮田正清，現在叫做呂寶霖，我大概有 65 年左右沒有去過土溝，幼時在土溝住過一段時間，當時的情形現在回想起來歷歷在眼前，諒必母舅與母妗已經不在人世了。諸位表兄姊（美、芽、桃、水、煙、國珍）以及表妹（燕玉、玉杯、金蓮）等近來好嗎？想起來大概有 20 年左右在新營火車站時，遇著表兄您當站長為民眾服務，當時因為我自己開設服裝補習班較忙，致使未能與表兄暢談別離之情，又因不知詳細住址與電話，致使久未通信與打電話問候，近來好嗎？我們一家大小在台北託福平安，每日過著平常的日子，請勿掛念！

　　茲因我為了後代的人知　道我們的祖先以及家族的關係之情形，而花了很多年的時間，編輯如奉上的族譜，是我現在所知道的資料，煩請表兄看後如有錯誤或遺漏的部分或需填字修改的地方，請速來信告知，我會如來信更正，期能出版更完整完美的族譜，我編輯付梓後，身體若還健康的話，真希望去一趟土溝看看最近的情形，諒必大家都很健康平安的過日子，是我所盼望的，最後祝府上闔家平安，身體健康，事事如意！

寶霖表叔您好:

接到您的來信相當驚訝,小時候家父好像提起過您,我是白玉章的三子。很遺憾我父親已在 2006 年往生無法再與您見面,您想要的資料因有些失聯,有的認為嫁出去的女兒不必列入就不太想提供,我已盡量收集完成,隨信寄上。

現在土溝只剩兩個白家媳婦住在那裡,新地址為台南市後壁區土溝里 41 號。

陳詠瀅:白駿騰(我三伯父白國珍二子,現在大陸)之妻 06-6871902

江淑君:白金淞(我二伯父白煙三子,已歿)之妻

我五姑白玉杯還健在現住台南市新營區進修街 11~3 號 06-6568280

白宇森:高雄市岡山區懷德路 14 號 07-6223562 (白玉章之子)

白炳南: 高雄市岡山區懷德路 12 號 07-6236588 (白國珍之子)

沈登壹(我三姑長子)住台南市白河區康樂路 72 號 06-6857379 (白桃之子)

賴玉金糸 (我大姑次女)住台南市白河區玉豐里頂山腳 41-5 號 06-6876271 (白華之女)

最後敬祝身體健康祖譜編印順利

　　表姪 白志亮 敬上　2012.4.18

　　　白志亮

P.S. 我 4/21~4/28 出國不在台灣

草木無根，何能茂盛。

　　人無根本，何能繼傳。

飲水思源，報本感恩。

　　落葉歸根，顯祖榮宗。

　　　　　　　　呂寶霖敬題

客家本色

涂敏恆　詞曲

台北市呂姓宗親會
呂文雄宗長提供

$\begin{array}{|ccc}35 & \| & 56 1 56 5 33-| 611-2312 | 1665 5 35 1 | 5 6 1 56 533 | \end{array}$

| 611·352312 | 166 55 5656 | 2 566 1212 | 1111·555 32 |

| 3 5 55 5— | 6 1 6 5 | 555 33 212 | 2——— |

唐山過台灣　無半點錢，然忙打拼耕山耕田，

| 3 3 3 32 1 | 21 61 5 | 655·6161 | 1——— |

咬薑啜醋幾十年，　　唔識　　　埋怨

| 5 5555·32 | 1 3 1 2— | 6 513 2 23 | 5——— |

世世代代就咁仰勤儉傳家，兩三百年無改變

| 6 6 5 3 | 53 21 6— | 565·5656 | 1——— |

客家精神莫丟掉，　　永遠　永遠

| 323 53 26 112 | 1——— | 35 5 55— | 61 6 5— |

時代在進步 社會改變，

| 5555 33 212 | 2——— | 3 33 32 1 | 21 61 5— |

是非善惡充滿人間，　　奉勸世間客家人，

| 655— 6161 | 1——— | 55555 32 | 1 3 1 2— |

修好　心田，　　正正當當做一介良善介人

| 65 13 2 23 | 5——— | 6·6 5 3 | 53 21 6 |

就像恩介老祖先，　　永遠不忘祖宗言，

| 565— 5656 | 1—— 35 :|| 56 1 56 53 3 | 611 3523 12 |

千年萬年，

| 165— 5656 | 2 566 1212 | 111111 111 ||

希望我們代代子孫別忘記要效法客家人初到來台之精神。

呂寶霖先生年表

本籍：台灣、台南縣、白河鎮　　生於 1931 年

語言：台語　華語　日語

現址：台灣、103-59 台北市大同區重慶北路二段 235-1 號 3、
　　　　4 樓

電話：（02）2557-0007、2557-0570

手機：0939-652265、0911-590848

著作：麗新設計裁剪全書、日本洋服技術書、訂做西服技術
　　　　書、我的回憶與盼望（附：族譜）

學歷：	
台南縣立白河國民學校小學部畢業（日政時代）	鹽塚校長鹿之助
台南縣立白河國民學校高等科畢業（日政時代）	沈校長主鏞
國語日報附設函授學校高級中學科畢業	洪校長炎秋
台北市私立志仁高中補習學校高級部普通科畢業	王校長永高
全國技術士技能檢定委員會女裝職類評分研習學會結業	邱部長創煥
全國技術士技能檢定委員會男裝職類評分研習學會結業	邱部長創煥

台北市政府教育局高級部
普通科資格考試及格　　　　　　　毛局長連塭

財政部台北市國稅局國稅法
規研習班結業　　　　　　　　　　侯局長伯烈

行政院勞委會、東吳大學、
台灣省總工會等合辦　　　　　　趙主委守博、章校長

勞工教育企業管理系初級、
高級、研究等班結業　　　　　　孝慈、李理事長正宗

台灣基督長老教會松年大學
雙連分校大學部畢業　　　　　　　彭校長德貴

國立空中大學全修生修學中　　　　黃校長深勳

經歷：韓國大韓服裝技術協會國際服裝技術委員
韓國大韓服裝學院名譽講師、顧問
日本小林服裝研究所名譽講師
與新加坡雅式裁剪學院簽訂姐妹校實施建教合作
中華民國服裝研究學會理事長
亞洲西服業者聯盟中華民國總會技術顧問
台北市縫紉商業同業公會常務理事、榮譽顧問
台南縣縫紉商業同業公會服裝設計常年顧問
台北市中國國服（旗袍）研究會理事
台北市縫紉業職業工會監事、理事
台北市補習教育協會理事
台北市大同區民權社區發展協會常務監事
台北市彩虹心協會理事

麗新服裝技術雜誌社創辦人兼社長

衣麗時實業有限公司（成衣廠）廠務經理

台北市政府勞工局勞資爭議諮詢志工

台北市政府勞工局外勞服務中心志工

現任：世界呂氏宗親總會監事

中華民國呂姓宗親會總會監事

台北市呂姓宗親會監事

台北市大同區民權社區發展協會常務理事

台北市社區營造志願服務協會理事

台北市大同區衛生所健康服務中心志工

台北市政府都市發展局社區營造中心志工

台北市中山區大同區民眾服務社免費法律諮詢服務志工

公職歷：

國際技能競賽中華民國全國技能競賽大會女裝工裁判獲全國金牌後參加國際技能競賽女裝工選手訓練指導教練

中華民國技術士技能檢定委員會女裝職類技術士技能檢定監評委員

中華民國技術士技能檢定委員會男裝職類技術士技能檢定監評委員

全國服裝工技術士技能檢定東區代檢處術科監評委員

台灣彰化少年輔育院附設職業訓練班技術士技能檢定術科監評委員

台北市政府勞工局職訓中心男裝職類技術士技能檢定術
科監評委員

台灣高雄監獄技能訓練中心男裝職類技術士技能檢定術
科監評委員

台灣泰源監獄技能訓練中心男裝職類技術士技能檢定術
科監評委員

台灣岩灣技能訓練所西服班男裝職類技術士技能檢定術
科監評委員

行政院勞委會桃園職訓中心男裝職類技術士技能檢定術
科監評委員

教師歷：

1957.02～1958.06

桃園縣私立志誠縫紉補習班服裝科指導老師

莊溫桃主任

1959.08～1960.04

台北縣私立台都縫紉補習班服裝科指導老師

李乾生主任

1961.06～1961.10

台灣糖業公司農業工程處勞工教育縫紉班老師

處長

1962.09～1970.08

台南縣私立麗新縫紉車繡補習班主任兼老師

呂寶霖主任

1970.09～

　　台北市私立麗新男女服裝補習班主任兼老師

　　　　　　　　　　　　　　　　　　　呂寶霖主任

1978.08.01～1983.07.31

　　台北縣莊敬高級中學男裝女裝旗袍等服裝科專任教師

　　　　　　　　　　　　　　　　　　　冷燦東校長

1980.08.01～1982.07.31

　　高雄市樹德女子高級家商職業學校女裝科專任教師

　　　　　　　　　　　　　　　　　　　張佩玉校長

1981.03.11～1981.06.10

　　台灣區製衣同業工會職業訓練中心教師

　　　　　　　　　　　　　　　　　　　張福源主任

1990.07.07～1990.11.30

　　宜蘭縣婦女會技藝訓練班服裝設計打版科教師

　　　　　　　　　　　　　　　　　　　李曼珠理事長

1991.09.07～1991.12.31

　　宜蘭縣縫紉工會勞工技能訓練班服裝打版科教師

　　　　　　　　　　　　　　　　　　　王啟明理事長

2002.10.17～2003.02.20

　　台北市縫紉業職業工會服裝裁剪成衣打版班教師

　　　　　　　　　　　　　　　　　　　鄭天涼理事長

講師歷：

1975.11.01

　　應韓國大韓服裝學院聘請擔任中韓服裝技術交流研究會
　　專題講師

1975.11.05

　　應日本小林服裝研究所聘請擔任中日服裝技術交流研究
　　會專題講師

1974.09.26

　　應中華民國服裝設計學會聘請擔任女裝技術講習會專題
　　講師

1979.09.25

　　應宜蘭縣縫紉業職業工會聘請擔任女裝技術講習會專題
　　講師

1980.06.17～18

　　應高雄市樹德女子家商職校聘請擔任服裝裁剪製作示範
　　講習會講師

1981.10.18

　　應高雄市縫紉商業同業公會聘請擔任服裝技術研究會專
　　題講師

1981.11.23～24

　　應台灣省縫紉工會聯合會聘請擔任勞工教育幹部研習會
　　專題講師

1982.02.24

　　應中華民國服裝研究學會聘請擔任服裝技術講習會專題
　　講師

1982.10.24

　　應花蓮縣縫紉業職業工會聘請擔任服裝技術講習會專題
　　講師

1985.06.29～30

　　應高雄市國民就業訓練所聘請擔任教師進修研習會服裝
　　技術專題講師

1991.09.15

　　應台南縣西服業職業工會聘請擔任勞工教育專業知識講
　　習會專題講師

1991.11.25

　　應宜蘭縣縫紉業職業工會聘請擔任女裝技術講習會專題
　　講師

1992.12.13

　　應彰化縣服裝設計職業工會聘請擔任服裝技術講習會專
　　題講師

1997.11.16

　　應台南縣西服業職業工會聘請擔任男裝技術講習會專題
　　講師

1999.11.26

　　應新竹縣縫紉職業工會聘請擔任服裝技術講習會專題講
　　師

2001.10.24

　　應新竹縣縫紉工會聘請擔任女裝當場量身裁剪縫製等技
　　巧講習會講師

國際翻譯講師歷：

1975.04.14

　　台灣省縫紉工會聯合會於台北主辦聘請日本岸本重郎講
　　師之翻譯講師

1975.05.08

　　台北市麗新男女服裝補習班主辦聘請日本石川友久講師
　　之翻譯講師

1975.08.08

　　台北市麗新男女服裝補習班主辦聘請日本小林守治講師
　　之翻譯講師

1981.01.01～03

　　高雄市樹德女子家商職校主辦聘請日本宮本德夫講師之
　　翻譯講師

1981.08.12

　　台灣省縫紉工會聯合會於花蓮主辦聘請日本稻葉宏講師
　　之翻譯講師

1981.08.13

　　台灣省縫紉工會聯合會於板橋主辦聘請日本稻葉宏講師
　　之翻譯講師

1981.09.17

　　亞洲洋服業者聯盟總會於宜蘭主辦聘請日本今津辰男講
　　師之翻譯講師

1981.09.18

　　亞洲洋服業者聯盟總會於新莊主辦聘請日本今津辰男講
　　師之翻譯講師

1981.09.19

　　亞洲洋服業者聯盟總會於桃園主辦聘請日本今津辰男講
　　師之翻譯講師

1981.09.20

　　亞洲洋服業者聯盟總會於新竹主辦聘請日本今津辰男講
　　師之翻譯講師

1981.09.25

　　亞洲洋服業者聯盟總會於鳳山主辦聘請日本今津辰男講
　　師之翻譯講師

1984.03.11～12

　　中華民國服裝研究學會於台北主辦聘請韓國韓珍珠講師
　　之翻譯講師

1984.03.15～16

　　中華民國服裝研究學會於高雄主辦聘請韓國韓珍珠講師
　　之翻譯講師

1984.03.13～14

　　中華民國服裝研究學會於高雄主辦聘請日本岸本重郎講
　　師之翻譯講師

1984.06.10～11

　　中華民國服裝研究學會於新營主辦聘請日本岸本重郎講
　　師之翻譯講師

1984.06.16～17

　　中華民國服裝研究學會於台北主辦聘請日本岸本重郎講
　　師之翻譯講師

1984.06.18～19

　　中華民國服裝研究學會於宜蘭主辦聘請日本岸本重郎講
　　師之翻譯講師

國際受獎狀況：

1975.04.15

　　榮獲日本小林服裝研究所小林守治所長頒發中日服裝技
　　術主講卓越成果感謝狀

1975.11.02

　　榮獲韓國大韓服裝技術協會牟宣基理事長頒發紳士服技
　　術優秀金牌獎

1975.11.02

　　榮獲韓國大韓服裝學院徐商國院長頒發 30 吋高紳士服
　　最優秀金牌獎座

1975.11.02

　　榮獲韓國大韓服裝學院徐商國院長頒發韓中服裝技術專
　　題主講卓越成果感謝狀

1975.11.03

　　榮獲日本洋服專門學校蛭川鐵之助校長頒發裁剪製圖技
　　術優秀獎狀

1977.04.01

　　榮獲亞洲洋服業聯鹽第七屆大會香港主辦陳志民主席頒
　　發國際紳士服優秀感謝狀

1981.04.03

　　榮獲日本洋服專門學校蛭川鐵之助校長頒發紳士服裝技
　　術講習會翻譯講師感謝狀

1981.09.23

　　榮獲亞洲洋服業聯盟第九屆大會台灣主辦李炳煌主席頒
　　發國際交流貢獻卓越感謝狀

1981.09.23

　　榮獲亞洲洋服業聯盟第九屆大會日本鈴木養之助會長頒
　　發服裝技術優秀金牌獎

1982.10.16

　　榮獲韓國大韓服裝技術協會文炳智理事長頒發鼎力支持
　　愛國睦邦義行感謝狀

1983.10.03

　　榮獲全日本紳士服技術比賽第 25 屆大會宮川富士男會
　　長頒發最優秀技術大賞

1983.10.03

　　榮獲全日本紳士服技術比賽第 25 屆大會宮川富士男會
　　長頒發洋服比賽理事長獎

1983.10.03

　　榮獲全日本紳士服技術比賽第 25 屆大會宮川富士男會
　　長頒發洋服技術比賽金牌獎

1985.10.23

　　榮獲韓國大韓服裝技術協會文炳智理事長頒發全韓國紳
　　士服技術比賽金牌獎

1998.07.14

　　榮獲亞洲洋服業聯盟第 17 屆大會馬來西亞主辦湯裕松
　　主席頒發國際洋服優秀感謝狀

2000.04.19

　　榮獲亞洲洋服業聯盟第 18 屆大會台灣主辦利文雄主席
　　頒發傑出國際外交獎

2001

> 榮獲全日本ペソギソ俱樂部連合會佐藤五郎會長頒發紳士服最高技術優秀賞

2002.11.16

> 榮獲第 19 屆亞細亞洋服聯盟首爾總會高慶昊會長頒發國際洋服優秀感謝狀

政府受獎狀況：

1966.03.31

> 榮獲台南縣政府劉博文縣長頒發第一屆教育展覽社會組甲等獎狀

1976.09.01

> 榮獲台北市政府社會局郝成璞局長頒發「嘉惠同業」獎牌

1976.11

> 榮獲內政部張豐緒部長頒發第七屆全國技能競賽獲銀牌選手提名獎狀

1977.11.29

> 榮獲內政部張豐緒部長頒發第八屆全國技能競賽獲金牌選手提名獎狀

1978.12.14

> 榮獲內政部邱創煥部長頒發第九屆全國技能競賽獲銀牌選手提名獎狀

1980.06

> 榮獲台北市政府教育局黃昆輝局長頒發社教成果展覽「弘揚社教」獎牌

1980.11.12

　　榮獲台北市政府李登輝市長頒發辦理補習教育績效良好
　　之獎狀

1980.11.20

　　榮獲教育部朱匯森部長頒發第十一屆全國技能競賽獲金
　　牌選手提名獎狀

1981.11.22

　　榮獲內政部邱創煥部長頒發訓練國家選手出國比賽獲獎
　　教練功勞獎牌

1984.11.12

　　榮獲台北市政府楊金機市長頒發辦理社會教育功能成績
　　優良獎狀

1992.05.01

　　榮膺全國模範勞工榮蒙李登輝總統召見嘉勉並賜贈鍍
　　〔金文鎮〕

1992.05.01

　　榮獲行政院勞工委員會趙守博主委頒發全國模範勞工獎
　　狀

2003.12.13

　　榮獲台北市大同區衛生所所長頒發食品及菸害防治志工
　　服務感謝狀

2004.11.01

　　榮獲台北市政府勞工局鄭村棋局長頒發長青志工精神與
　　美德獎狀

2005.04.29
　　榮獲台北市政府馬英九市長頒發績優勞工志願服務獎狀
2009.10.22
　　榮獲台北市政府社會局師豫玲局長頒發志工表現優異貢
　　獻良多松柏獎
2009
　　榮獲台北市政府衛生局邱文祥局長頒發志工服務績優家
　　庭楷模獎
2010.12.17
　　榮獲北市政府勞工局陳業盡局長頒發志工服務民眾懿行
　　可嘉感謝狀及獎牌
2011.09.29
　　榮獲台北市政府郝龍斌市長頒發志工表現優異貢獻良多
　　松鶴獎
2011.12.02
　　榮獲台北市政府都市開發局丁育幫局長頒發貢獻卓著感
　　謝狀
2012.08.18
　　榮獲台北市政府郝龍斌市長頒發滿 53 週年金婚「鶼鰈比
　　翼」及金婚誌喜獎杯一座
2012.08.25
　　榮獲台北市政府郝龍斌市長頒發社區營造中心場館營運
　　志工感謝狀
2012.11.23
　　榮獲台北市政府郝龍斌市長頒發優良志工金鑽獎

2013.05.26

　　榮獲台北市政府郝龍斌市長頒發社區營造中心場館營運
　　志工感謝狀

2014.11.13

　　榮獲台北市政府郝龍斌市長頒發本市志願服務貢獻獎

2014.12.05

　　榮獲台北市政府衛生福利部蔣丙煌部長頒發志願服務三
　　千小時以上表現優等獎

2014.12.05

　　榮獲台北市政府衛生福利部蔣丙煌部長頒發志願服務績
　　優銅牌獎

其他：

　　尚有服裝相關團體理事長頒贈金牌、獎牌、獎狀、感謝
　　狀等 100 多件

作者（一排左 8）於 1992 年 5 月 1 日膺選全國模範勞工時，又於 1992 年 9 月 6 日被選為代表國家出席 40 名之勞工赴閒日本行經日本國家級姬路城，於 1992 年 9 月 10 日與政府官員合影留念。